GADAEL LENNON

GADAEL LENNON

Bet Jones

y Lolfa

I Elwyn, Gwen a Meinir

Argraffiad cyntaf: 2009

Dymuna'r cyhoeddwyr gydnabod cymorth ariannol
Cyngor Llyfrau Cymru

Cynllun y clawr: Y Lolfa

Rhif Llyfr Rhyngwladol: 9781847711434

Cyhoeddwyd ac argraffwyd yng Nghymru
gan Y Lolfa Cyf., Talybont, Ceredigion SY24 5HE
gwefan www.ylolfa.com
e-bost ylolfa@ylolfa.com
ffôn 01970 832 304
ffacs 832 782

PROLOG

Fel roedd yr amser ychwanegol yn dirwyn i ben, rhedodd rhai o'r cefnogwyr ar y cae. *"They think it's all over,"* meddai Kenneth Wolstenholme. Yna, *"It is now!"* ychwanegodd wrth i Geoff Hurst sgorio'i drydedd gôl i'w gwneud hi'n bedwar i ddwy.

"'Dan ni wedi ennill! 'Dan ni wedi ennill y World Cup!"

Aeth parlwr ffrynt y Burns yn ferw gwyllt. Pawb yn neidio i fyny ac i lawr ac yn cofleidio'i gilydd. Doeddwn i rioed wedi gweld y fath beth. Roedd hyd yn oed taid Nicola, a arferai eistedd mor dawel yn y gornel, wedi codi ar ei draed ac yn gweiddi nerth esgyrn ei ben, *"We've beatun de bloody Germens again!"*

Llifodd pawb allan o'r tŷ ac i'r stryd lle roedd pawb arall yn dathlu'r fuddugoliaeth hefyd.

Roedd rhywun wedi gosod bwrdd hir ar y pafin ac wedi'i orchuddio ag Union Jack. Gosododd rhywun arall hen gramaffôn ar y bwrdd a dyna lle roedd pawb yn canu a dawnsio ar y stryd i gyfeiliant 'There will always be an England'.

Cyn hir, roedd pobl wedi cario byrddau eraill o'u tai ac wedi'u llwytho gyda brechdana, cacenna a diodydd o bob math.

Doeddwn i rioed wedi gweld parti fel hwn o'r blaen,

lle roedd pawb o bob oed yn mwynhau eu hunain fel hyn. Dawnsiai mam a tad Nicola a'i Hyncl Albert ac Anti Florie o Fazakerley gyda llwyth o bobl eraill, mewn cadwyn hir yng nghanol y stryd. Anghofiodd yr Anti Emma "Posh" o Aigburth Vale fod yn *posh* am unwaith a dyna lle roedd hi'n gweiddi canu 'The White Cliffs of Dover' dros y lle.

Gafaelodd rhywun am fy nghanol a 'nhynnu i mewn i'r gadwyn a oedd yn cordeddu fel neidar hir i lawr y stryd.

Daeth teimlad braf o berthyn drosof. Ro'n i wedi cael fy nerbyn fel un ohonyn nhw ac roedd eu buddugoliaeth nhw yn fuddugoliaeth i minna hefyd.

PENNOD I

Yesterday, all my troubles seemed so far away...
('Yesterday': Y Beatles)

"'Dan ni'n mynd 'nôl adra!"

Nath geiriau Dad ddim sincio'n syth. Ro'n i'n brysur yn trio penderfynu be oeddwn i am ei wneud y pnawn Sadwrn hwnnw, a finna wedi cael cyflog gan Mr Johnson am weithio trwy'r bora yn y siop bapur.

Oeddwn i am ddal bỳs lawr dre...?

"... felly er mwyn dy nain..."

'Ta oeddwn i am fynd draw i'r siop recordiau i brynu albym newydd o ganeuon y Beatles, *Sergeant Pepper*...?

"... iechyd dy fam..."

Oedd gen i ddigon o bres i allu fforddio prynu'r alb...?

"... lles pawb..."

Ella y basa'n well i mi brynu eu *single* diweddaraf, *All You Need is Love...*

"...'dan ni'n gadael Lerpwl ac yn mynd 'nôl adra!" torrodd llais Dad ar draws fy meddylia.

"Be?"

"Ti ddim wedi gwrando ar air mae dy Dad 'di'i ddeud," medda Mam yn gyhuddgar. "Dwi'n deud wrthat ti, Gwilym," meddai gan droi at Dad, "fel hyn ma'r hogan 'ma. Tydi hi'n gwrando dim ar neb ond yn llenwi ei phen hefo rhyw sothach. Mi wneith fyd o les iddi hi a ninna adal Lerpwl 'ma a mynd 'nôl adra."

Y tro hwn, disgynnodd y geiriau fel carreg fawr drom i bwll fy stumog.

Gadael Lerpwl! Na! Fedren nhw ddim gneud hynna i mi!

Cododd rhyw feil i fy ngwddw. Roedd yn rhaid i mi fynd o'r gegin cyn i mi gyfogi.

Ar ôl cael gwared o'r beil, rhuthrais i fy llofft a rhoi un o fy hoff recordiau i droelli. Cyn hir, roedd lleisiau'r Beatles yn llenwi'r stafell ac yn helpu i dawelu rhywfaint ar y storm oedd yn dal i gorddi y tu mewn i mi.

Yesterday, all my troubles seemed so far away…

Roeddwn wedi gwrando ar y gân yma ganwaith o'r blaen ac wedi bloeddio'i chanu'n ddifeddwl gyda fy ffrindia. Ond dim tro 'ma! Lluchiais fy hun ar fy ngwely. Estynnais am y gonc bach meddal a eisteddai ar y gobennydd a'i wasgu'n dynn yn fy nghesail.

Now it looks as though they're here to stay

Dechreuodd y dagrau lifo a dechreuodd y brotest tu mewn i mi dyfu.

… Oh, I believe in yesterday.

Sut y medren nhw neud hyn i mi eto?

"'Dan ni'n mynd 'nôl adra," wir!

Jyst ei ddeud o fel'na fath â tasan nhw'n deud ein bod ni'n mynd am dro i Sefton Park neu rywbath! Doeddan nhw ddim yn sylwi fod y geiria yna'n mynd i droi 'mywyd i wyneb i waered unwaith eto?

Ond nid plentyn bach saith oed o'n i'r tro 'ma. O, naci, mae tipyn o wahaniaeth rhwng bod yn saith a bod yn bymtheg! Gorweddais ar y gwely'n hir gan geisio rhoi trefn ar fy nheimlada. Roedd gen i ddigon o resyma pam na ddyliwn i symud o Lerpwl yn ôl i Gymru.

Ond cyn i mi allu eu rhoi nhw mewn trefn, daeth cnoc ar ddrws y llofft a thrawodd Dad ei big rownd drws.

"Ga i ddŵad i mewn?"

Nodiais.

Safodd gan edrych braidd yn anghyffyrddus ar ganol y llawr. Yna ysgydwodd ei ben wrth edrych o'i gwmpas ar y posteri seicadelic a llunia'r 'Fab Four' oedd yn blastar ar hyd y walia.

"Lle mae llun Defi Crocet 'di mynd? Dwi'n cofio mai'r joban gynta fuo rhaid i mi neud ar ôl i ni gyrraedd 'ma oedd gosod hwnnw uwchben dy wely di'n fa'ma. Ti'n cofio?"

Roedd Dad wastad yn deud y petha mwya annisgwyl ac yn tynnu'r gwynt o fy hwylia. Roedd hi'n amhosib bod yn flin efo fo'n hir.

Gwenais er fy ngwaethaf.

"Reit 'ta," meddai, ar ôl sylwi fy mod i'n dechrau meddalu. "Ga i ddiffodd y sŵn ar yr hyrdi-gyrdi 'ma?"

Cyn cael ateb, camodd at y chwaraewr recordia a

chodi'r bìn oddi ar y record gan achosi sŵn crafu mwya ofnadwy.

"Dyna welliant. Dwn i ddim be ti'n gael yn y petha gwalltia hir 'ma a'u nada, wir! Mi fasa wsnos o waith calad yn gneud byd o les iddyn nhw!"

Roeddwn i'n gwybod beth oedd gêm Dad. Ond doeddwn i ddim am ymateb i'w dynnu coes y tro 'ma.

Pan sylwodd nad oeddwn i'n mynd i ymateb, aeth i eistedd ar linten y ffenast, fel y byddai'n arfer ei wneud pan fyddai'n deud stori cyn i mi fynd i gysgu pan oeddwn i'n fach.

"Yli, mae'n ddrwg gen i ni dorri'r newydd i ti fel naethon ni. Mi ddylien ni fod wedi dy baratoi a deud wrthat ti ers wythnosa ein bod ni'n meddwl mynd 'nôl adra."

"Ond Dad, *fa'ma* ydi adra i mi! Fa'ma ma fy ffrindia i, yn fa'ma dwi wedi tyfu i fyny. A beth am fy ngwaith ysgol i? Dach chi ddim yn sylweddoli 'mod i hannar ffordd drwy fy nghwrs *O levels*?"

"Mae dy fam a finna wedi bod yn meddwl am hynny a dyna pam 'dan ni ddim am symud tan ddiwedd y flwyddyn ysgol. Wedyn, mi gei di amsar trwy'r gwylia'r haf i setlo cyn ailddechra yn dy ysgol newydd ym mis Medi."

Roeddan nhw wedi meddwl am bob dim felly. Wedi gwneud yr holl gynllunia heb sôn wrtha i.

"Pam na fasach chi 'di deud?"

"Doeddan ni ddim isio dy boeni di tan basa pob dim wedi'i setlo."

"Mae pob dim wedi'i drefnu felly?"

"Ydi. Mi fyddan ni'n gadael fa'ma yn syth ar ôl i'r ysgol dorri ac mi fyddan ni'n mynd i fyw i Gae'r Delyn. Ers i dy nain gael y strôc 'na llynadd, mae hi'n methu ymdopi â phetha ar ei phen ei hun. Mae'r howscipar diwetha wedi gadael ac mae'n amhosib cael un arall yn ei lle hi, meddan nhw. Felly, mi fyddan nhw'n falch iawn yng Nghae'r Delyn o gael dy fam i 'sgwyddo'r baich."

Fferm yng nghanol Pen Llŷn ydi Cae'r Delyn lle mae Nain a dau frawd Mam, Yncl Twm ac Yncl Wil, yn byw. Mi fasa gofyn i Mam edrych ar ôl y tri ohonyn nhw yn ogystal â ni. Doeddwn i ddim yn gallu gweld hynny'n digwydd rhywsut.

"Mam i sgwyddo'r baich? Dach chi'n gwybod yn iawn na fedrith hi ddim edrach ar ei hôl ei hun yn iawn, heb sôn am bawb yng Nghae'r Delyn!"

"Mi wneith o fyd o les i dy fam gael cyfrifoldab. Mae hi wedi bywiogi drwyddi ers i ni ddechra sôn am fynd adra."

"O grêt! Am faint fydd hyn yn para, 'sgwn i? 'Dan ni 'di i weld o i gyd o'r blaen, Dad. Dach chi'n gwybod sut mae hi."

"Roedd dy fam yn arfar bod yn asgwrn cefn y teulu 'stalwm. Lerpwl 'ma sydd wedi'i newid hi. Nath hi rioed setlo yma fath â chdi a fi."

"'Nath hi rioed drio! Ond be amdana i? 'Dach chi'n mynd i fy symud i o Lerpwl 'ma a mynd â fi i ganol nunlla gan ddisgwyl i mi setlo! Tair wythnos sydd 'na tan ddiwadd y flwyddyn ysgol. Dach chi'n deud wrtha i ein bod ni'n symud mewn tair wythnos?"

"Yli," medda Dad gan ostwng ei lais, "rhyngot ti a fi, mi fasa'n well gen inna aros yma hefyd. Mae gen i waith sefydlog sy'n talu'n dda. Dwi'n cofio be oedd crafu byw ar gyflog chwaral cyn i ni ddŵad yma. Ti'n meddwl 'mod i isio colli 'nghartra a symud at fy nau frawd-yng-nghyfrath i Gae'r Delyn? Dim ffiars o beryg! Ond rhaid i mi feddwl am les pawb a rhoi 'nheimlada fy hun o'r neilltu."

"Ia, ond be amdana i?"

"Mi fydd hyn yn llesol i ti hefyd. Mae hi'n llawer haws iti dyfu i fyny yng nghefn gwlad Cymru nag yn y ddinas 'ma, lle mae pob math o betha'n digwydd – petha drwg nad ydan ni ddim yn eu dallt. Yli, fyddi di fawr o dro'n setlo. A deud y gwir, mi fyddi di'n dŵad i ail nabod dy hen ffrindia eto."

"Hen ffrindia? Saith oed o'n i pan naethon ni symud i fa'ma. Tydyn nhw ddim yn 'y nghofio i fwy nag ydw i'n 'u cofio nhw!"

Cododd Dad ar ei draed ac edrych allan drwy'r ffenast ar gefnau'r tai dros ffordd. Ar ôl rhai munudau o dawelwch, dyma fo'n deud, "Ella, ar ôl i ni symud adra, y cawn ni weld Geraint eto."

Doeddwn i ddim haws â dadlau ymhellach, roedd Dad wedi taro'r hoelen. Dyna'r tro cynta ers blynyddoedd i mi ei glywed o'n crybwyll enw 'mrawd mawr hyd yn oed.

Trodd ei gefn at y ffenast a sefyll wrth droed fy ngwely.

"Mae'n hen bryd i ni fel teulu ddŵad at ein coed," medda fo, cyn cerdded o'r llofft.

Mi fûm i'n gorwedd yn hir ar ôl i Dad fynd. Yna, codais ar fy mhenglinia ar y gwely ac edrych ar boster y Beatles oedd yn hongian lle byddai'r hen lun o Defi Crocet yn arfer bod.

Plannais gusan ysgafn ar gledar fy llaw a'i chwythu tuag at John.

"Chân nhw ddim mynd â fi o 'ma oddi wrthat ti," meddwn i. "Tra dwi'n Lerpwl, ma 'na siawns i mi dy weld…"

Roeddwn i'n gwybod bod John wedi priodi ond mistêc oedd hynny a, beth bynnag, roeddwn i wedi penderfynu peidio â meddwl am y peth.

Caeais fy llygaid ac ailfreuddwydio'r un olygfa ag a freuddwydiais ganwaith o'r blaen, lle basa John a fi'n cyfarfod. Roedd Nicola, fy ffrind gora, wedi deud wrtha i gannoedd o weithia fod Danny ei brawd yn nabod y boi 'ma oedd yn nabod cyfnither John ac ella basa 'na obaith iddi hi fy nghyflwyno i iddo fo. Pe tasa hynny'n digwydd, mi fasa fo'n siŵr o deimlo yr un fath â fi. Yna, gallai unrhyw beth ddigwydd!

Dechreuais fwmian canu fy hoff gân, cân roeddwn i'n hoffi meddwl bod John a'r lleill yn ei chanu'n arbennig i mi:

You make me dizzy, Miss Lizzy,

And I want to marry you…

"Paid â bod yn blydi stiwpid, tyfa i fyny," meddwn i, gan dorri ar draws fy mreuddwyd fy hun. "Be ti'n da'n breuddwydio am John Lennon pan mae dy holl fywyd ar fin newid am byth?"

Codais oddi ar y gwely a mynd at y gadair oedd yn

dal pentwr o ddillad. Rhoddais hwyth i'r dillad a llusgo'r gadair at y wardrob uchel a safai yng nghornel y llofft. Roeddwn yn dal yn rhy fyr i weld beth oedd ar y top, hyd yn oed ar ôl dringo i ben y gadair. Ond gwyddwn ei fod o'n dal yno. Byseddais y top llychlyd ag un llaw. Yna, fe'i teimlais o rhwng fy mysedd. Codais o'n ofalus. Roedd o'n llwch drosto.

Ar ôl clirio'r llwch oddi ar y gwydr a'r ffrâm, daeth yr hen lun o Defi Crocet i'r golwg a myrdd o atgofion gyda fo...

* * *

Tua wyth mlynedd ynghynt, roedd Dad, fel y rhan fwyaf o ddynion eraill 'Rhendra, wedi cael ei roi ar y clwt pan gaeodd y chwarel. Doedd dim gwaith arall i'w gael yn yr ardal. Felly bu'n rhaid i ni godi'n pac a mudo i Lerpwl.

"Ydi'n rhaid i ni fynd i Lerpwl, Dad?" holais ar y pryd. "Fedrwch chi ddim cael gwaith yn nes adra?"

Ysgwyd ei ben wnaeth o a deud ei fod o wedi trio'i ora. Ond gan fod cymaint o'r chwarelwyr wedi colli eu gwaith ar yr un pryd, roedd hi bron yn amhosib dod o hyd i waith arall yn yr ardal.

"Rhaid i ni fod yn gefn i Dad rŵan, cofia," medda Mam. "Dydi be mae o 'di gorfod ei neud ddim yn hawdd iddo fo. Mae o'n gwybod nad wyt ti isio gadael. Tydw i ddim isio mynd chwaith. Tydi o 'i hun ddim isio gadael 'Rhendra 'ma, lle mae o wedi byw ar hyd ei oes. Ond mae'n rhaid iddo fo gael gwaith er mwyn i ni gael pres i fyw. Felly, paid ti â gneud petha'n waeth wrth gwyno. Mi fydd hogan bach saith oed fel chdi yn setlo ym mhen dim, gei di weld. Wedi'r cwbwl, mi fydda i a

Dad efo chdi yn Lerpwl, cofia."

Doeddwn i ddim wedi arfar clywed Mam yn siarad mor hir â hyn efo fi o'r blaen. Ond ro'n i'n gwybod ei bod hi'n hollol o ddifri ac mi 'nes i addo y byswn i'n gwneud fy ngora i beidio dangos i Dad 'mod i'n torri fy nghalon.

I wneud pethau'n waeth, doedd Geraint, fy mrawd mawr, ddim yn symud i Lerpwl efo ni. Gan nad oedd ganddo fo ond blwyddyn a hanner ar ôl yn yr ysgol cyn y byddai'n mynd i'r coleg, penderfynwyd y basa'n well iddo fo aros yng Nghae'r Delyn, i orffen ei gwrs *Higher*.

Wrth edrych ar yr hen lun o Defi Crocet, llifodd yr atgofion yn ôl. Gallwn weld y diwrnod pan adawon ni'n glir fel hen ffilm a ninnau fel pypedau yn chwarae rôl yn groes i'n hewyllys. Ond yn dal ati.

Hen fora glawog, llwyd, oedd hi hefyd.

Roedd Geraint wedi gadael am Gae'r Delyn yn fan Yncl Twm y noson cynt gan addo y basa fo'n sgwennu ata i bob wythnos ac y basa fo'n dod i aros yn Lerpwl bob gwylia.

Diolch byth nad oeddwn yn gwybod beth oedd o'n blaena yr adeg honno!

Roedd pobl y stryd i gyd a llawer o'n ffrindia eraill o'r pentref wedi dod i ffarwelio â ni.

"Dyma ti rwbath i gofio amdana i," meddai David Wyn, un o fy hen ffrindia, gan stwffio'i lun o Defi Crocet i fy nwylo.

Ffarweliais efo pawb cyn dringo i ffrynt y fan ddodrefn gan afael yn dynn yn y llun.

Llenwodd fy llygaid. Ar ôl sychu fy nagra, edrychais allan drwy ffenast y fan, ond roedden ni wedi gadael y stryd yn barod ac wedi cychwyn ar y ffordd i'n bywyd newydd yn Lerpwl.

* * *

Wrth gofio'n ôl fel hyn, sylweddolais fod Dad yn iawn. Roedd Mam yn ddynas wahanol yr adeg honno, yn gry ac yn gadarn. Nid fel cadach llawr y blynyddoedd diwetha 'ma.

Oedd hi'n bosib i Mam ddod ati ei hun? Ai hiraeth oedd yr unig beth a achosodd y fath newid ynddi?

Ond beth am Geraint? Oedd 'na obaith cael dechra newydd efo fo, 'ta oedd yna ormod o ddŵr wedi mynd o dan y bont?

Gosodais y llun o Defi Crocet i bwyso ar y wal ar ben y chest o' drôrs. Sythais yr *eiderdown* a gosod y gonc yn ôl ar y gobennydd cyn mynd i lawr grisia at Mam a Dad.

Roedd y ddau'n eistedd y naill ochr i'r bwrdd ac yn mwynhau sgwrs a the bach. Dwi ddim yn siŵr pryd y gwelais i bictiwr o ddedwyddwch o'r fath yn ein tŷ ni ddiwetha. Mae'n rhaid bod Mam yn teimlo'n well, meddyliais.

"Iawn 'ta," meddwn i. "Mi ddo i 'nôl efo chi, os gwnewch chi addo un peth i mi."

"Be ydi hwnnw felly?" gofynnodd Dad. "Ydi'n rhaid i ni ddŵad ag un o'r hogia gwallt hir 'na efo ni? Dwi ddim yn gweld 'run ohonyn nhw'n dda i ddim yng

Nghae'r Delyn chwaith. Mae'n beryg y basa'r ieir yn stopio dodwy wrth glwad eu sgrechian aflafar nhw."

"Paid â thynnu ar yr hogan, wir," medda Mam a gwên fach ar ei hwynab. "Deud ti beth wyt ti isio'i ddeud."

"Mi ddo i 'nôl efo chi os wnewch chi drio cael Geraint yn ôl hefyd."

Cododd Mam ar ei hunion, gan beri i'w chadair ddisgyn yn ôl ar ei chefn gyda chlep uchel. Arhosodd hi ddim i'w chodi ond aeth allan o'r ystafell heb ddeud 'run gair. Roedd yr hen olwg bell a phoenus hwnnw yn ôl ar ei hwynab.

"Yli be ti wedi neud rŵan. Ti'n gwybod yn iawn na fedrith hi ddim godda i ni sôn am dy frawd," meddai Dad yn flin.

"Ond chi ddudodd..."

PENNOD 2

Made the bus in seconds flat,
Found my way upstairs…
('A Day in the Life': Y Beatles)

Ar ôl i mi droi'r drol efo Mam wrth sôn am Geraint, penderfynais y basa'n well i mi fynd allan o'r tŷ am sbel. Roedd arna i angen awyr iach ac amser i feddwl.

Cerddais ar hyd y pafin i fyny'n stryd ni. Heibio'r rhes hir o dai unffurf gyda'u brics cochion, nes cyrraedd y gornel ar ben ucha'r stryd, lle mae Stryd Fawr Kensington gyda'i siopa'n rhedeg ar draws. Roedd 'na brysurdeb yn fan hyn bob amser, ond byth fwy nag ar bnawn Sadwrn, pan fydda pobl yn gwthio'n wyllt o siop i siop i geisio cael y bargeinion gora cyn i'r siopa gau am y Sul.

Fel arfer, byddwn wrth fy modd yn gwylio'r holl rialtwch, ond y tro hwn, roedd gen i ormod ar fy meddwl i werthfawrogi'r olygfa. Cerddais ymlaen heb edrych yn ffenastri'r siopa nes i mi gyrraedd y siop recordiau.

Roedd posteri mawr yn llenwi ffenast y siop yn hysbysebu albwm newydd y Beatles, *Sergeant Pepper*.

Arhosais i edrych ar y posteri lliwgar oedd yn dangos

y llun ar flaen yr albym. Roedd 'na gasgliad rhyfedd o bobl yn y llun a'r rheini i gyd yn sefyll tu ôl i'r drwm mawr 'ma.

Lle roedd John?

Yna mi welais i o wedi'i wisgo mewn iwnifform felen, fel petai'n aelod o ryw fand henffasiwn.

Beth oedd orau i mi neud? Ddyliwn i wario 'nghyflog i gyd ar yr albym? 'Ta fasa'n well i mi brynu *single*?

Ar hynny daeth sŵn cerddoriaeth uchel o'r siop ac fe allwn glywed lleisiau'r Beatles yn canu un o'u caneuon newydd oddi ar yr albym.

Cefais fy ateb. Roedden nhw fel petaen nhw'n canu'n arbennig i mi.

Chydig funudau'n ddiweddarach, cerddais allan o'r siop a'r albym dan fy mraich.

'Where I belong' oedd geiriau'r gân. Wel, ro'n i'n teimlo'r pnawn hwnnw 'mod i'n perthyn i Lerpwl ac mai yn Lerpwl ro'n i eisiau aros. Ond doedd hynny ddim i fod.

Tair wythnos! Dim ond tair wythnos cyn gorfod gadael. Gadael y prysurdeb am dawelwch llethol Pen Llŷn.

Roedd o'n wir y byddwn i'n mwynhau mynd i aros i Gae'r Delyn am ryw wythnos neu ddwy yn ystod gwyliau'r ysgol. Ond byddwn bob amser yn falch o ddod 'nôl adra. Hogan o Lerpwl oeddwn i erbyn hyn. Lerpwl oedd adra.

Doedd hi ddim wedi bod fel hyn rioed, chwaith. Wyth mlynedd yn ôl pan gyrhaeddais yma'n hogan bach, bron yn uniaith Gymraeg, doedd pethau ddim mor hawdd. Gwenais wrth i'r atgofion ddechrau llifo'n ôl.

* * *

Does gen i fawr o gof o'r daith gynta honno i Lerpwl yn y fan ddodrefn ar ôl i ni ffarwelio â'n ffrindia a'n cymdogion yn y 'Rhendra. Yr unig gof sydd gen i ydi teithio drwy Dwnnel Mersi ac edrych ar y merched druan yn llnau'r waliau gyda'u cadacha a'u mopia.

"Dyna i ti waith ofnadwy," meddai Mam. "Meddylia am y creaduriaid druan i lawr yn y tynnal 'ma o dan yr afon fel hyn bob dydd yn nghanol ffiwms y ceir a'r sŵn. Dwn i ddim sut maen nhw'n gallu 'i ddiodda fo."

Yna, roedden ni allan o'r twnnel ac yng nghanol prysurdeb strydoedd Ler...

* * *

"*Eck eck, kettle out, luv!*" torrodd llais rhyw gigydd ar draws fy meddylia. A dim ond mewn pryd y symudais i'r ochr cyn iddo daflu bwcedaid o ddŵr gwaedlyd dros y pafin o flaen ei siop.

Doedd Stryd Fawr Kensington ar brynhawn Sadwrn ddim yn lle i freuddwydio am y gorffennol.

Ar hynny, stopiodd bỳs deulawr wrth ochr y pafin gwlyb a heb feddwl ddwywaith, dringais i mewn iddo ac ymlwybro i ben blaen y llawr ucha. Cawn lonydd i feddwl yno ymhell uwchben y strydoedd prysur. Dyna un peth roeddwn wedi'i ddysgu am fysiau Lerpwl: os arhoswch chi arnyn nhw'n ddigon hir, maen nhw'n siŵr o ddod â chi yn ôl i'r un lle. Roeddwn i a fy ffrind, Nicola, wedi treulio llawer i bnawn Sadwrn yn teithio lawr i ganol y dref fel hyn. Mi fydda'r ddwy ohonon ni'n mynd i eistedd ym mhen blaen y llawr ucha gan floeddio canu cân Petula Clark:

... forget all your troubles, forget all your cares.

So go down town.

Things'll be great when you're down town...

Ar ôl prynu tocyn gan y condyctor, eisteddais gan blygu 'mlaen i wylio strydoedd Lerpwl yn mynd heibio oddi tanaf.

Cyn hir, roedd fy meddwl wedi mynd yn ôl i'r diwrnod cynta hwnnw. Pan stopiodd y fan ddodrefn o flaen y tŷ.

* * *

Roedd Dad yn sefyll yn y drws yn aros amdanon ni.

Ers rhai wythnosau roedd o wedi bod yn gweithio yn iard longau Cammell Laird's yn Birkenhead ac roedd o wedi dod o hyd i dŷ i Mam a fi.

Cofiais fel yr arweiniodd o'r ddwy ohonon ni drwy'r ystafelloedd a'r balchder yn ei lygaid pan ddotiodd Mam at y gegin fodern â'i ffrij a'i pheiriant golchi.

"Fedrwn ni fforddio rhent fan hyn?"

"Wrth gwrs y medrwn ni. Dim cyflog chwaral dwi'n ennill rŵan, cofia. Ond tydach chi ddim wedi gweld dim eto," meddai gan ein tywys i fyny'r grisiau. "Agora'r drws 'na," medda fo gan fy ngwthio at ddrws ar ben y landin.

Stafell molchi oedd yno gyda bath a thoilet.

"Dim mwy o folchi mewn twb o flaen tân na thaith i ben draw 'rar' i ni!" medda fo, gan wenu.

Oedd, roedd Dad wedi dod o hyd i dŷ hwylus. Ond pan ofynnais i a faswn i'n cael mynd allan i weld yr ardd, bu'n rhaid i Dad gyfadde, "Wel, mae arna i ofn nad oes 'na'm 'rar', dim ond iard gefn gyda digon o le i dannu dillad."

"Ond lle dwi i fod i chwara?"

"Paid â swnian," meddai Mam. Mae 'na ddigon o le yn dy lofft newydd iti chwarae gyda dy ddolia."

"Ond..." dechreuais. Yna gwelais y rhybudd yn wyneb Mam.

"Paid â phoeni am le i chwarae," medda Dad, "mae Lerpwl 'ma'n llawn o barcia. Lawr lôn yn fan'cw, mae parc Wavertree ac mi awn ni am dro ar y bỳs i Sefton Park ddydd Sadwrn."

Doeddwn i ddim yn siŵr beth oedd y parcia 'ma roedd Dad yn sôn amdanyn nhw ond ro'n i'n tybio mai rhyw fath o gaeau chwarae oeddan nhw.

"Dwi ddim yn meddwl y bydd 'na amsar i fynd i unrhyw barc Sadwrn yma," rhybuddiodd Mam. "Mi fydd arna i angan dy help di, Gwilym, i ddŵad â'r tŷ 'ma i drefn. Dwn i ddim sut y down ni i ben â'r holl waith."

Winciodd Dad arna i a deud y basan ni'n siŵr o gael digon o amser i fynd i'r parc ryw dro arall.

"Mi 'na i'ch helpu chi, os liciwch chi, Mam," cynigais. Roedd unrhyw beth yn well na gorfod mynd i fy ysgol newydd.

Drannoeth, aeth Dad yn ôl i'w waith gan adael Mam a fi i ddadbacio.

Ro'n i'n edrach ymlaen at gyrraedd y bocs lle roedd fy nheganau i, fel y gallwn eu gosod yn fy llofft newydd. Ond penderfynais y basa'n well eu gadael nhw tan y diwedd ac aros i helpu Mam.

Felly dadbaciais gelfi'r gegin yn ofalus o'r papur newydd, tynnais lwch oddi arnyn nhw a'u gosod lle roedd Mam yn deud. Ar ôl gwagio bocs, byddwn yn stwffio'r bwndeli o bapur newydd gwag yn ôl iddo cyn ei gario allan i'r iard gefn.

Y noson honno, pan ddaeth Dad adra o'i waith, mi fuo bron i mi â byrstio o falchder pan ddudodd Mam wrtho fo nad oedd hi'n gwybod be fasa hi wedi'i wneud heb fy help i.

Penderfynais yn y fan a'r lle wneud fy hun mor ddefnyddiol i Mam fel na fasa'n rhaid i mi byth fynd i'r ysgol.

Mae'n rhaid bod fy nghynllun wedi gweithio, achos y noson honno mi glywis i nhw'n fy nhrafod i. Fedrwn i ddim credu fy nghlustia.

"Dim ond tair wythnos sydd 'na tan y Pasg," medda Mam. "Waeth i Beti ddechra'r ysgol ar ôl y gwylia bellach."

"Ti'n iawn," medda Dad, "ac mae hi'n gwmpeini i ti trwy'r dydd tra dwi yn y gwaith."

Ro'n i ar ben fy nigon. Dim ysgol tan ar ôl gwylia Pasg.

Gwylia Pasg!

Roedd Ger i fod i ddŵad i aros efo ni yn ystod gwylia Pasg.

* * *

Gwenais wrth gofio arhosiad cynta Ger efo ni yn Lerpwl. Ro'n i wedi cyfri'r dyddia a'r oria at yr adeg pan fyddai o'n dod. Roedd gen i hiraeth ofnadwy am fy hen fywyd yn 'Rhendra. Ond er cymaint ro'n i'n colli hynny, roedd yr hiraeth am Ger yn waeth. Achos roedd ei golli o'n newid y teulu o'r tu fewn rywsut.

Rwy'n cofio mynd i'w gyfarfod oddi ar y trên yng ngorsaf Lime Street efo Dad.

"Ti'n ddistaw iawn," meddai gan wenu. "Paid â deud dy fod ti wedi anghofio dy Gymraeg yn barod!"

Roedd y geiriau'n methu dŵad allan, felly gafaelais yn ei law a'i gwasgu'n dynn a wnes i ddim mo'i gollwng tan i ni gyrraedd y tŷ. Roedd arna i gymaint o ofn i Ger ddiflannu.

Roedd Mam yn y drws yn aros amdanon ni ac wrth weld yr olwg ar ei hwynab hi, ro'n i'n gwybod ei bod hi wedi colli Ger yn ofnadwy hefyd. Gafaelodd amdano'n dynn a'i wasgu tuag ati a'i ddal yno'n hir heb ddweud yr un gair. Roedd hyn yn beth rhyfedd achos doedd Mam *comfort* rioed wedi bod yn un am roi fawr o fwytha i ni.

"Wel, gad i'r hogyn ddŵad i mewn i'r tŷ, wir," meddai Dad. "Mae'n siŵr ei fod o ar lwgu ar ôl y daith hir 'na o Ben Llŷn."

Tagodd Mam i guddio'i hembaras a deud wrtha i am fynd â Ger i fyny grisia i ddangos ei lofft iddo fo tra bydda hi'n gorffen paratoi'r bwyd.

Haliais Ger i fyny'r grisiau ac wrth fynd â fo ar daith o gwmpas y llofftydd a'r stafell molchi, daeth y geiriau allan yn un bwrlwm o'r diwedd. Roedd gen i gymaint o bethau i'w deud wrtho.

"Yli, ma 'na fathrwm yma a bob dim, 'dan ni ddim gorfod mynd i ben draw 'rar' ond does 'na ddim 'rar' yma ond dydi ddim ots medda Dad achos mae 'na ddigon o barcia i ni chwarae ti'n gwybod be 'di parc dwi'n meddwl mai cae chwara ydi o dydi Dad ddim wedi cael am..."

"Diolch byth!" medda Ger, pan gafodd air i mewn. "Ro'n i'n dechra poeni dy fod ti wedi colli dy dafod!"

"Betiii! Tyd i lawr i helpu i osod bwrdd," gwaeddodd Mam o waelod y grisiau.

"Ond ro'n i'n dechra deud wrth Ger am..."

"Mae Ger yma am bythefnos, mi gei di hen ddigon o amsar i ddeud bob dim wrtho fo. Rŵan, tyd i roi help llaw i mi a gadael i dy frawd gael trefn ar ei betha yn llofft."

"Dos di lawr," medda Ger, "tra bydda i'n dadbacio. Yli, dos â'r wya 'ma i Mam. Mi nath Nain fynnu 'mod i'n dŵad â nhw o Gae'r Delyn iddi hi. Gobeithio nad ydyn nhw 'di torri yn y cês. Mi 'nes i drio'u lapio nhw yng nghanol 'y nillad," meddai, gan agor y bag papur er mwyn gweld yr wyau.

"Na, maen nhw i'w gweld yn iawn, diolch byth!"

Cariais y bagiad o wyau'n ofalus i lawr grisiau a'u rhoi i Mam.

Gafaelodd hithau ynddyn nhw, fath â'i bod wedi cael trysor.

"Wya Cae'r Delyn," meddai. "Does 'na ddim byd tebyg iddyn nhw yn holl siopa Lerpwl 'ma."

"Reit dda," medda Dad. "Mi gân ni nhw i swpar heno."

"O, na," medda Mam, gan osod yr wyau mewn powlen ar silff ffenast y gegin. "Mae'n rhaid i ni gadw'r rhain ar gyfer rhywbath sbesial."

* * *

Wyth mlynedd yn ddiweddarach, roedd yr wyau'n dal i eistedd yn y bowlen ar silff y ffenast. Doedd fiw i Dad na fi eu cyffwrdd ond byddai Mam yn eu sychu'n ofalus gyda chadach bob dydd.

PENNOD 3

Listen, do you want to know a secret,
Do you promise not to tell...
('Do You Want to Know a Secret?': Y Beatles)

Mae'n debyg mai'r pythefnos o wyliau Pasg cyntaf hwnnw oedd yr amser gorau a gawson ni i gyd fel teulu yn Lerpwl. A deud y gwir, dyna'r unig amser da. Dim ond tair wythnos oedd wedi mynd ers i ni adael Cymru a doedd y dieithrwch a'r newid ddim wedi dwad rhyngon ni'r adeg honno.

Prynodd Ger lyfr oedd yn disgrifio pob twll a chornel o Lerpwl. Ar ôl hynny, doedd dim stop arno. Gyda'r llyfr yn un llaw a fi yn ei law arall, mi fuon ni'n dau yn teithio ar hyd a lled y ddinas. Mi fydda Mam yn paratoi pecyn bwyd i ni ac yn ein siarsio i gymryd gofal.

I lawr i ganol y dref yr aethon ni'r pnawn cynta hwnnw a dwi'n cofio fel y gnaethon ni chwerthin wrth weld y statiw mawr 'ma o ddyn noethlymun uwchben drws siop Lewis's.

"Mi fasat ti'n meddwl y basa pobl y siop yn rhoi dillad am y cr'adur," meddai Ger gan chwerthin. "Wedi'r cwbwl, mae hi'n siop anferth ac mae'n rhaid ei bod yn llawn o ddillada."

27

Roedd Ger yn deud y gwir, mi roedd y siop yn anferth. Doeddwn i rioed wedi breuddwydio ei bod hi'n bosib cael siop mor fawr. Roedd hi'n llawer mwy na siopa'r Dre i gyd efo'i gilydd!

"Cymro o'r enw David Lewis agorodd y siop 'ma, 'sti," medda Ger, "dyna pam mai Lewis's ydi'i henw hi."

"Ew, ti'n glyfar," meddwn i. "Sut roeddat ti'n gwybod hynna?"

"Wel, mae o'n deud yn y llyfr 'ma, yli," atebodd gan wenu.

Ond er bod Ger yn trio peidio dangos ei hun, ro'n i'n gwybod mai fo oedd y brawd mawr clyfra yn y byd.

Y pnawn hwnnw, mi fuon ni'n dau yn cael hwyl wrth fynd i fyny ac i lawr y grisiau symud, gan chwilio a chwalu drwy bob twll a chornel o'r siop anferth: o'r *bargain basement*, lle prynodd Ger sgriwdreifar i Dad; i'r *ground floor*, lle cafodd sent i Mam; i'r pedwerydd llawr, lle cafodd lyfr lliwio a chreons i mi.

"Tyd," medda fo wedyn, "awn ni am banad i'r caffiteria ar y pumad llawr. Dwi jyst â tagu isio coffi."

"Do'n i ddim yn gwybod dy fod ti'n licio coffi," meddwn i gan grychu'n nhrwyn.

"Ma fy ffrindia i gyd yn yfad coffi yn Dre ar ôl 'rysgol rŵan, 'sti, ers i'r coffi bar agor. Dyna lle 'dan ni'n mynd ar nos Sadwrn hefyd. Mae o'n lle grêt ac ma 'na *juke-box* a ballu yno."

Nodiais gan gymryd arna i 'mod i'n dallt yn iawn am beth roedd o'n sôn.

Yn y caffi ar y pumed llawr, edrychais o 'nghwmpas;

do'n i rioed wedi gweld caffi tebyg i hwn o'r blaen, lle roeddach chi'n mynd efo'ch trê a dewis beth oeddach chi isio o gownter hir, cyn mynd i'r pen draw a thalu rhyw ddynas wrth y til. Ar ôl newid fy meddwl sawl tro, penderfynais ar wydriad o *milk shake* blas banana a chafodd Ger ei baned o goffi.

"'Sgen ti ddigon o bres i wario fel hyn?" holais.

"Paid â phoeni," medda Ger. "Dwi'n cael pres pocad da am helpu i odro a ballu yng Nghae'r Delyn ac mae Yncl Twm wedi deud ella y gellith o gael joban i mi yn y ffatri laeth yn ystod gwylia'r ha."

Teimlais fy nghalon yn sincio. "Ond ro'n i'n meddwl dy fod ti am ddŵad i aros yma efo ni trwy'r ha."

"Wel, ella 'na i weithio am chydig a dŵad yma wedyn. Mae'n bwysig 'mod i'n hel dipyn o bres cyn mynd i'r coleg flwyddyn nesa, 'sti."

"Ger? Wyt ti'n dal am fynd i'r coleg yn Aberystwyth? Ella bod 'na goleg yn Lerpwl 'ma," meddwn i'n obeithiol.

"Oes, mae 'na," medda fo.

"Felly, mae pob dim yn iawn. Mi fedri di ddŵad yma flwyddyn nesa."

Gwenodd Ger a dweud y basa fo'n meddwl am y peth, ond nad o'n i ddim i ddeud dim byd wrth Mam a Dad tan y byddai o wedi penderfynu'n iawn. "Does dim angen codi eu gobeithion nhw eto achos mae 'na lawer iawn o betha i'w hystyried fel cyrsiau..."

Do'n i ddim yn dallt am beth roedd o'n sôn, ond doedd dim ots – roedd Ger am ddŵad i'r coleg yn Lerpwl. A fy syniad i oedd o i gyd! Roeddwn i ar ben fy nigon.

"Fedri di gadw sicret os 'na i ofyn i ti beidio deud rhwbath wrth Dad a Mam?" medda fo toc.

"Galla, siŵr," meddwn i. A deud y gwir, roeddwn i'n teimlo'n hynod o falch fod Ger yn meddwl rhannu cyfrinach efo fi.

"Ti'n gaddo?"

"Yndw, siŵr." Roeddwn i'n glustia i gyd erbyn hyn.

"Reit 'ta, dwi jyst â marw isio smôc ers meitin," medda fo gan dynnu pacad sigaréts o'i bocad.

Ar ôl tanio'r sigarét a thynnu'n galed arni, chwythodd gylchoedd bach o fwg allan o'i geg. "Dyna welliant," meddai gan roi ochenaid o ryddhad. Doeddwn i ddim yn siŵr iawn sut i ymateb achos doeddwn i ddim wedi disgwyl hyn. Felly, heb ddeud dim, sugnais y *milk shake* i waelod y gwydr. Yna eisteddais yn ôl gan aros i Ger orffen ei goffi a'i smôc ac edrych o 'nghwmpas yn smalio cymryd diddordeb mawr yn waliau'r caffiteria a oedd wedi'u gorchuddio â theils lliwgar a lluniau llestri a bwydydd o bob math arnyn nhw. Unrhyw beth i osgoi edrych ar Ger yn smocio.

Dim ond tair wythnos oedd 'na ers i ni adael Ger ar ôl yng Nghymru. Ond roedd o wedi newid cymaint. Yna, dechreuais sylweddoli nad oedd gen i erioed fawr o syniad am fywyd Ger y tu allan i tŷ. Mae'n siŵr na fuo fo a fi ddim ar ein pen ein hunain yng nghwmni'n gilydd fel hyn erioed o'r blaen. Wedi'r cwbwl, roedd o ddeng mlynedd yn hŷn na fi.

"Cofia – dim gair," medda fo eto wrth wasgu'r stwmp i'r ashtre ar y bwrdd, "ne' 'na i ddim mynd â chdi i nunlla arall yn Lerpwl 'ma."

Cytunais, gan feddwl na faswn i'n gadael i rwbath bach fel sigaréts ddŵad rhwng Ger a fi. Ond y gwir oedd fod yr holl beth wedi gadael rhyw dipyn o flas annifyr yn fy ngheg i, a 'nes i ddim mwynhau fy hun cweit gymaint yn ei gwmni ar ôl hynny...

* * *

"Make rewm, gel," torrodd llais rhyw ddynas nobl ar draws fy meddylia. Yna gwthiodd fi i ben draw sêt y bỳs gan ollwng ei hun a'i phacia wrth fy ochr. *"Cor, me webs ay kill'n me, laich,"* meddai gan gicio'i sgidia oddi ar ei thraed, *"de blewm'n shops wuz chocker..."*

Erbyn hyn, roedd y bỳs wedi cyrraedd canol y ddinas ac yn llawn o siopwyr yn feichiog o barseli a bagiau. Doedd waeth i mi heb â thrio meddwl am fy mhroblemau fy hun wedyn, oherwydd chaeodd y ddynas mo'i cheg tan i'r bỳs gyrraedd yn ôl i Kensington. Cefais wybod pob manylyn am ei theulu – gwaeledd ei gŵr, priodas ei mab, ei phroblemau ariannol a phob math o fanylion personol eraill.

"Yous young ones, 'uv nah care in de wirld. Make de most o' it ay say," meddai gan wthio'i thraed yn ôl i'w sgidia cyn codi o'r sêt.

Dim problemau! Chydig ti'n wybod, yr hen hulpan, meddyliais wrth edrych arni'n ymlwybro gyda'i phaciau at y grisiau yng nghefn y bỳs.

Gadewais inna'r bỳs yn y stop nesa a cherdded yn ôl adref yn araf.

Daeth yr hen deimlad o ansicrwydd hwnnw a ddeuai'n

aml drosof wrth i mi ddod yn nes at y tŷ. Fyddai Mam wedi dŵad ati ei hun ar ôl i mi ei chynhyrfu cyn mynd allan? 'Ta fyddai'r hen awyrgylch anodd 'na'n llenwi'r lle fel y byddai pan fyddai hi yng nghanol un o'i phyliau?

"O leia mi fydd Dad adra heddiw," meddyliais.

Ond pan gyrhaeddais y tŷ, roedd nodyn wedi'i adael ar y bwrdd:

Dy fam wedi mynd i orwedd. Paid â'i styrbio.
Rydw i am fynd draw i weld Glyn. Mi ddo i â
ffish a chips yn ôl i swpar i ni. Gawn ni siarad
mwy am betha heno 'ma.
Dad xx

'Doedd eisiau 'mynadd. Gwasgais y nodyn yn bêl fach dynn a'i thaflu i'r grât cyn mynd i fyny grisia i fy stafell wely.

Agorais ddrôr ucha 'nesg a thynnu hen albym lluniau ohoni. Trois dudalennau'r albym nes cyrraedd at lun o Mam, Ger a fi ar fwrdd y llong fferi yn croesi o'r Pier Head i New Brighton. Tynnwyd y llun yma gyda chamra Brownie bach Dad un pnawn Sadwrn braf yn ystod y gwyliau Pasg cyntaf hwnnw yn Lerpwl.

Synnais wrth edrych ar lun Mam – roedd hi wedi newid cymaint mewn wyth mlynedd. Yr adeg honno, edrychai fel dynes ifanc a'i gwallt cyrliog du yn chwythu i bobman yng ngwynt afon Mersi.

Cofiais am y diwrnod da a gawson ni yn y ffair yn New Brighton, y meri-go-rownd a'r olwyn fawr, y stondinau o bob math. Roedd bywyd mor braf y diwrnod hwnnw.

Wrth ochr y llun ar y fferi, roedd llun arall. Llun o Dad, Mam, Ger a fi'n eistedd ar gwch rhwyfo ar y llyn bychan yng nghanol Sefton Park.

Tynnwyd y llun yma ddiwrnod ar ôl y llall.

* * *

Dydd Sul y Pasg oedd hi ac roedd Dad, Ger a fi wedi mynd i'r capal Cymraeg yng ngwaelod ein stryd ni i wasanaeth y bore a Mam wedi aros adra i baratoi cinio dydd Sul. Ro'n i'n licio mynd i'r capal yr adeg honno achos ro'n i'n gallu anghofio am rywfaint bach 'mod i yn Lerpwl, gan fod y pregethwr yn siarad Cymraeg a'r gynulleidfa'n canu yr un emynau ag roeddan ni wedi arfer eu canu yn y capal yn 'Rhendra.

Wrth gerdded adra o'r capal, dyma Dad yn cynnig ein bod ni'n mynd am bicnic i'r parc y pnawn hwnnw. Fuasai fo byth wedi breuddwydio cynnig y fath beth pan oeddan ni'n byw yn 'Rhendra, gan fod disgwyl i ni fynd i'r capal dair gwaith bob dydd Sul yr adeg honno.

"Dwi wedi gaddo i ti ers wythnosa y baswn i'n mynd â chdi i Sefton Park," meddai, "felly pnawn heddiw amdani."

Ar ôl helpu Mam i olchi llestri cinio dydd Sul a gwneud brechdanau jam ar gyfer y picnic, i ffwrdd â'r pedwar ohonon ni i ddal bŷs am y parc.

Ar ôl mynd drwy'r giatiau mawr sy'n arwain i'r parc, roeddan ni fel petaen ni mewn byd gwahanol. Roedd 'na goed ym mhobman a bloda a gwellt glas. Doeddwn i ddim wedi gweld gwyrddni fel hyn ers i mi adael Cymru a doeddwn i ddim wedi sylwi tan hynny pa mor llwyd a di-liw oedd strydoedd Lerpwl. Am y tro cynta ers i mi gyrraedd yno, roeddwn yn rhydd i redeg heb orfod gwylio'r traffig.

Gosododd Mam garthen ar y gwellt glas a dechreuodd wneud ei hun yn gyffyrddus i wylio Dad, Ger a fi'n chwarae rhyw fath o gêm griced.

"O na, Megan," medda Dad gan dynnu ar fraich Mam. "Paid ti â meddwl dy fod ti'n mynd i gael ista'n fan'na yn edrach arnan ni. Ma'n rhaid cael pedwar i chwara'r gêm 'ma. Dau ym mhob tîm."

"Ond fedra i ddim chwara fath â rhyw hoedan wirion ar y Sul o bob diwrnod," medda Mam. "Be tasa rhywun yn 'y ngweld i?"

"Pwy welith di yn fa'ma, d'wad? Does 'na neb yn dy nabod di, heblaw ni'n tri a nawn ni'm deud wrth neb, yn na nawn?" meddai Dad gan daflu winc ar Ger a fi.

"Ond tydi o ddim y peth iawn i'w neud, Gwilym. Mi ddylian ni fod yn rhoi gwell siampl i'r plant 'ma ar bnawn Sul."

"Twt, twt, Megan, mae'n rhaid i ti symud hefo'r oes. Yn Lerpwl ydan ni rŵan cofia a tydi pobol fa'ma ddim mor gul â phobol adra, 'sti!"

Daliodd Mam i drio dŵad allan ohoni am chydig wedyn, ond doedd Dad, Ger na fi ddim am glywed 'na'. Felly yn y diwedd, ildiodd ac ymuno hefo ni yn y gêm. Cyn hir, roedd hi wedi colli arni ei hun yn lân ac yn mwynhau cymaint â'r gweddill ohonon ni bob tamaid.

Wedyn, dyma ni'n eistedd ar y garthen i fwyta'r brechdana, cyn mynd at y llyn a llogi cwch rhwyfo.

Ond cyn i ni gychwyn allan i ganol y llyn ar y cwch, gofynnodd Dad i'r dyn cychod dynnu ein llun gyda'r camra Brownie bach.

Mae'n siŵr mai'r pnawn Sul hwnnw oedd y diwrnod hapusa a gawson ni fel teulu. Roedd hi mor braf clywed Mam yn chwerthin. Y tro ola iddi chwerthin go iawn ers i ni symud i Lerpwl.

Wrth edrych ar y llun bach du a gwyn yna yn yr albym, sylwais mai dyna'r llun ola gafodd ei dynnu ohonon ni fel teulu cyfa.

Llifodd y dyddiau fel tywod drwy'n bysedd ac yn rhy sydyn o'r hanner, yn ystod y gwyliau Pasg hynny ac roedd hi'n amser i Ger fynd yn ôl i Gae'r Delyn.

Dad a fi aeth i'w ddanfon i Lime Street. Roedd yn well gan Mam ffarwelio efo fo yn y tŷ, medda hi.

Gafaelais yn dynn yn Ger cyn iddo fo fynd ar y trên a deud wrtho fo am frysio'n ôl eto.

"Mi fydd hi'n wylia'r ha cyn hir," medda fo. "Mi fydda i'n siŵr o ddŵad yma am fis yr adeg honno."

"Ti'n gaddo?"

"Wel yndw, siŵr."

Ond ddoth o ddim, achos roedd o wedi cael gwaith yn y ffatri laeth drwy'r gwyliau.

PENNOD 4

How does it feel to be one of the beautiful people
Now that you know who you are?
('Baby You're a Rich Man': Y Beatles)

Mae'n rhaid 'mod i wedi syrthio i gysgu ar fy ngwely. Breuddwydiais 'mod i a Mam yn gorfod sgwrio Twnnel Mersi o un pen i'r llall a phan oeddan ni bron â chyrraedd y diwedd roedd 'na ryw lori yn gollwng budreddi dros waliau'r twnnel ac roedd yn rhaid i ni ailddechrau ar y gwaith unwaith eto.

Yna, deffrais, drwy ryw drugaredd, a gollwng ochenaid o ryddhad wrth sylweddoli mai dim ond breuddwyd oedd yr holl beth.

Felly, pam fod yna rywbeth yn dal i fy mhoeni?

Yna, daeth pob dim yn ôl i mi. Ro'n i'n mynd i orfod gadael Lerpwl!

Mi es i lawr grisia i weld oedd Dad wedi dod yn ôl o dŷ Yncl Glyn. Roedd yn rhaid i ni siarad. Roedd 'na lawer iawn i'w drafod os oeddan ni am symud i Gae'r Delyn ymhen tair wythnos.

Ond doedd 'na ddim golwg ohono fo.

"*Typical*," meddwn i wrtha i fy hun. "Dydi o byth

36

yma'r dyddia yma."

Iawn, roedd yn rhaid iddo fynd i'w waith yn ystod yr wythnos – ro'n i'n dallt hynny. Ond yn aml iawn, mi fydda fo'n hwyr yn dŵad adra achos mi fydda ganddo fo ymarferion band ar ôl gwaith. Wedyn, bob yn ail dydd Sadwrn, mi fydda fo'n mynd i Goodison Park i weld Everton yn chwarae adra, os na fydda fo yn rhywle efo'r band. A deud y gwir, chydig iawn o amser oedd o'n dreulio adra hefo Mam a fi'n ddiweddar. Roedd o'n treulio'r rhan fwya o'i amsar hefo Yncl Glyn.

Roedd Yncl Glyn a Dad wedi bod yn ffrindia ers pan oeddan nhw'n ifanc. Yncl Glyn oedd partner Dad pan oedd y ddau yn gweithio yn y chwarel a daeth y ddau hefo'i gilydd i chwilio am waith yn Birkenhead pan gaeodd y gwaith. Pan symudon ni i Lerpwl, symudodd Yncl Glyn ac Anti Rosie, ei wraig o, hefyd ac maen nhw'n byw chydig strydoedd i ffwrdd oddi wrthan ni.

* * *

Rhyw ddau fis ar ôl i ni gyrraedd Lerpwl, cafodd Mam, Dad a fi wahoddiad draw i'w tŷ nhw ar nos Sadwrn.

"'S arna i fawr o awydd mynd, 'sti," meddai Mam, ryw hannar awr cyn ei bod hi'n amser i ni gychwyn.

"Ond mae'n rhaid i ni fynd – dwi wedi gaddo," atebodd Dad. "Mae'n debyg y bydd Rosie wedi paratoi bwyd a ballu i ni."

"Mae'n anodd gen i gredu y bydd Rosie wedi paratoi fawr o fwyd. Ti ddim yn cofio fel y bydda Glyn druan yn gorfod mynd i siop jips bron bob nos ar ôl diwrnod calad yn y chwaral?"

"Ond fedrwn ni ddim eu siomi nhw rŵan, 'sa hynny ddim yn deg. Roeddan nhw mor falch pan dderbyniais i'r gwahoddiad."

"Wel, dos di a Beti 'ta – mi fydda i'n ddigon hapus yn fa'ma ar 'mhen fy hun. Mae Mam wedi anfon copi o nofal Islwyn Ffowc Elis i mi, *Wythnos yng Nghymru Fydd*, ac rydw i'n edrych ymlaen at ei darllan hi."

"Yli, Megan, mi gei di ddigon o amsar i ddarllan eto. Ti'n dŵad efo ni heno 'ma. Mi neith fyd o les i ti fynd allan o'r tŷ 'ma am unwaith a chymysgu efo pobl erill. Tydi o ddim fel tasa Rosie a Glyn yn ddiarth i ti. Mi gawn ni noson ddifyr yn trafod hen straeon am y 'Rhendra a ballu, gei di weld."

Wnaeth Mam ddim dadlau ymhellach, felly gyda rhyw ochenaid fach ddistaw, aeth i fyny'r grisiau i'w gwneud ei hun yn barod. Cerddodd y tri ohonon ni tuag at dŷ Yncl Glyn ac Anti Rosie yn ein dillad dydd Sul. Pan agorodd Yncl Glyn y drws i ni, synnwyd ni braidd, gan ei fod o'n gwisgo siwt ddu sgleiniog, grand, crys gwyn a dici-bô.

"Ti'n edrach fath â rhyw bengwyn, 'chan," medda Dad gan roi pwniad i'w ffrind.

"Wel, mae'n rhaid gneud ymdrech, yn 'does," medda Yncl Glyn gan gymryd ein cotiau a'n tywys tua'r ystafell fyw.

Cawsom fwy o syndod ar ôl mynd i mewn i'r ystafell fyw, oherwydd roedd y lle'n llawn o bobol ddiarth a'r rheiny i gyd wedi'u gwisgo mewn dillad sgleiniog, crand. Y dynion i gyd fel Yncl Glyn a'r merched mewn ffrogia sidan, drud.

Aeth y lle'n ddistaw pan welson nhw ni a stopiodd pawb i syllu arnon ni fath â'n bod ni'n rhyw greaduriaid o blaned arall yn ein dillad dydd Sul, plaen.

Roedd yr olwg ar wyneb Mam yn dweud y cwbwl – ac oni bai i Anti Rosie wthio'i ffordd drwy'r bobol ddiarth a gafael yn ei braich y funud honno, dwi'n siŵr y basa hi wedi troi ar ei sawdl a mynd 'nôl adra.

"O, Megan, dwi mor falch 'ych bod chi wedi dŵad," meddai gan gusanu Mam ar ei dwy foch. "Be gymrwch chi i' yfad? Sieri bach? 'Ta 'sa'n well gynnoch chi ryw Fartini? Glyn, cariad, tyd â diod i Megan a Gwilym."

Ar hynny, gafaelodd ynof i a mynd â fi o gwmpas yr ystafell lawn.

"This is my dear little friend, Beti," meddai gan fy nghyflwyno i bawb. *"We used to have some smashing times dressing up and watching TV programmes when we used to live in Wales."*

"Why, Rosie, you surprise me! I didn't imagine you had electricity, never mind tellies, in Wales!" meddai rhyw hen ddyn boliog gan chwerthin.*"I thought you Welsh were still in the dark ages, singing hymns and stuff round the camp fire outside your huts in the mountains!"*

Doeddwn i ddim wedi dallt popeth ddywedodd y dyn tew ond mae'n rhaid fod y bobl eraill i gyd yn meddwl ei fod o'n ddoniol dros ben achos mi ddechreuon nhw chwerthin dros y lle. Ond wnaeth Anti Rosie ddim chwerthin, dim ond gafael fymryn yn dynnach yn fy mraich i a throi ei chefn ar y criw cyn sibrwd yn fy nghlust.

"Paid â chymryd sylw o'r Saeson gwirion 'ma. Dim

ond tynnu coes maen nhw, 'sti. Tydyn nhw ddim yn meddwl dim drwg."

Erbyn i mi gael cyfle i fynd 'nôl at Mam, roedd hi'n eistedd yn syth fel procar ar ryw gadair galad yn ymyl y drws. Yn ei llaw roedd 'na wydryn gyda diod a cheiriosen goch yn arnofio ar y top. Ond gallwn weld nad oedd hi wedi cymryd yr un dafn ohono.

"Lle mae Dad?"

"Draw yn fan'cw yn siarad hefo Glyn a rhyw ddynion," meddai gan bwyntio at gornel bella'r ystafell.

Edrychais draw a gweld bod Dad yn mwynhau ei hun yn iawn yn yfed a sgwrsio hefo'r bobol ddiarth fel tasa fo'n eu nabod nhw erioed.

Yna, mae'n rhaid ei fod wedi synhwyro ein bod ni'n syllu arno fo, oherwydd yn fuan wedyn, rhoddodd ei wydr i lawr a dod yn ôl i sefyll wrth ochr Mam a fi.

"Ffrindia newydd Rosie a Glyn ers iddyn nhw ddechrau mynd i'r gwersi dawnsio ydi'r bobl 'ma," eglurodd.

Ar hynny, rhoddodd rhywun gerddoriaeth ddawns uchel i chwarae a dechreuodd rhai o'r cyplau ddawnsio ar ganol y llawr.

"Dwi isio mynd adra," medda Mam dan ei gwynt. "Mae gen i goblyn o gur yn fy mhen a tydw i ddim yn meddwl fod hwn yn lle i'r hogan 'ma hefo'r holl ddiodydd o gwmpas lle. Dos i ddeud wrth Glyn ein bod ni'n gadael."

"Arhosa am chydig bach eto, er fy mwyn i," erfyniodd Dad.

Agorodd Mam ei cheg i brotestio ond cyn iddi gael deud mwy, roedd Yncl Glyn wedi dŵad draw a gofyn iddi fod yn bartner iddo yn y ddawns gynta.

Rhewodd Mam yn ei chadair ac aeth ei hwyneb yn glaer wyn. Trawodd olwg ymbilgar ar Dad ac am unwaith, daeth yntau i'r adwy gan ddweud nad oedd Mam yn teimlo'n rhy dda ac y basa'n well iddo fo ddawnsio hefo fi.

Chwarddodd Yncl Glyn dros y lle a fy nhynnu i i ganol y llawr i ddawnsio.

Cyn hir, roedd Anti Rosie wedi cael gafael yn Dad ac mi synnais wrth ei weld o'n ei harwain ar hyd y llawr fel petai o wedi hen arfer dawnsio.

"Ti ddim wedi anghofio'r hen *quickstep* felly, Gwil," gwaeddodd Yncl Glyn.

Wrth i mi gael fy llusgo o gwmpas gan Yncl Glyn, sylwais ar Mam. Edrychai fel petai ar goll yn llwyr.

Ar ddiwedd y ddawns, tynnais ar lawes Dad a dweud wrtho 'mod i'n teimlo braidd yn flinedig ac y baswn innau'n licio mynd adra hefyd.

Wrth gerdded yn ôl i tŷ ni roedd Dad yn llawn canmoliaeth.

"Dipyn o hogan ydi Rosie, yntê? Ma hi wedi cymryd at fywyd yn Lerpwl. Nath hi rioed setlo yn 'Rhendra gan mai hogan o Dre ydi hi, 'sti."

"Ti wedi newid dy diwn," medda Mam. "Os dwi'n cofio'n iawn, doedd gen ti ddim un gair da i'w ddeud am Rosie pan oedd hi'n byw yn 'Rhendra."

"Ia, wel, 'dan ni i gyd wedi newid ers dŵad i fa'ma, yn do. Mae'n rhaid i titha drio…"

41

"Dad? Ers pa bryd dach chi'n gallu dawnsio?" torrais ar draws.

"Wel, ro'n i'n gallu gneud pob math o betha difyr fel 'na cyn i mi briodi, 'sti," medda fo. "Dy fam sy wedi trio fy newid i."

Ddudodd Mam ddim gair o'i phen wedyn a nath hi ddim agor ei cheg tan roedd hi'n amser deud nos dawch wrtha fi cyn i mi fynd i fy ngwely y noson honno.

* * *

Wrth edrych yn ôl ar y cyfnod hwnnw, sylweddolais i ddim y fath straen oedd ar Mam. Yn wahanol i Anti Rosie, doedd hi ddim wedi cymryd at ei bywyd newydd yn Lerpwl o gwbwl a daliai i lynu wrth ei hen ffordd Gymreig o fyw. Petasai hi wedi bod yn fwy bodlon newid, mi fasa petha wedi bod gymaint yn haws iddi hi. Ond dim un fel 'na oedd Mam, gwaetha'r modd.

Ar y llaw arall, doedd gan Anti Rosie ddim diddordeb mewn petha Cymreig, felly wnaeth hi ddim colli dim wrth symud i Lerpwl. Doedd ganddi hi ddim plant chwaith, felly doedd dim yn ei gorfodi i aros yn y tŷ.

Cyn iddi briodi Yncl Glyn, roedd hi'n arfar gweithio mewn pictiwrs yn Dre a phan ddaeth hi i Lerpwl, cafodd waith ar unwaith yn y Picturedrome ar Stryd Fawr Kensington. Roedd hi wrth ei bodd. Ymhen dim o dro, roedd hi ac Yncl Glyn wedi setlo yn Lerpwl fath â'u bod nhw wedi byw yn y ddinas erioed.

Pan ddechreuodd Dad ac Yncl Glyn weithio yn Cammell Laird's, ymunodd y ddau â'r band oedd yn yr iard longau.

Yn ddiweddar, roedd ymarferiadau wedi cadw Dad allan o'r tŷ ar lawer i noson ganol wythnos hefyd.

"Mae'n rhaid i ni ymarfer yn amal rŵan," fydda fo'n 'i ddeud, "i neud yn siŵr ein bod ni'n cadw'n lle yn y band. Mae 'na dipyn o gystadleuaeth am le 'leni gan fod 'na sôn am daith i Ffrainc flwyddyn nesa."

Wrth gofio hyn, sylweddolais fod symud yn ôl i Gymru yn mynd i gostio'n ddrud i Dad.

Ro'n i'n dal i bendroni am y pethau hyn, pan glywais o'n dŵad i mewn trwy'r drws ffrynt.

"O, yn fa'ma wyt ti," medda fo gan roi ei ben rownd drws yr ystafell fyw. "Ydi dy fam wedi codi?"

Wedi i mi ddeud nad o'n i wedi clywed dim oddi wrthi, dywedodd wrtha i am roi'r pysgod a'r chips o dan y gril i gadw'n gynnes tra bydda fo'n mynd i weld a oedd Mam yn iawn.

Erbyn iddo ddod 'nôl lawr grisia, ro'n i wedi gosod y bwrdd yn y gegin i'r ddau ohonon achos ro'n i'n gwybod na fydda fawr o siawns i Mam godi'r noson honno.

"Dydi dy fam ddim yn teimlo fel codi heno 'ma," medda fo, "ond mi a' i â phanad iddi hi cyn i ni ddechra byta. Mi fydd hi wedi dod ati ei hun erbyn fory, gei di weld."

Pan ddaeth Dad yn ôl i'r gegin, estynnais ddau blat a rhannais y pysgod a'r chips rhwng y ddau ohonan ni. Daeth gwên fach dros fy wyneb wrth sylwi mai dim ond dau bysgodyn roedd Dad wedi'u prynu. Roedd ganddo yntau syniad go lew na fydda Mam wedi codi'r noson honno hefyd.

"Dad? Ydach chi wir yn meddwl y bydd Mam yn

gallu dŵad i ben efo'r holl waith fydd 'na iddi yng Nghae'r Delyn? Dach chi'n gwybod sut mae hi wedi bod ers blynyddoedd!"

Ochneidiodd Dad cyn ateb, "Dwn i ddim be arall medrwn ni neud. Hiraeth sy wedi gwneud dy fam fel mae hi, 'sti. Mae'n rhaid i ni gredu y daw hi ati ei hun pan fydd hi'n ôl ym Mhen Llŷn. Dwi wedi holi fy hun gymaint o weithia pam 'nes i'ch llusgo chi i Lerpwl 'ma," meddai, gan roi ei ben yn ei ddwylo. "Pam na faswn i wedi trio'n galetach i gael gwaith yn nes adra; taswn i wedi aros am chydig fisoedd yn hirach, mi faswn i wedi cael gwaith yn Nhrawsfynydd, dwi'n siŵr. Dwi'n dallt bod 'na lond bỳs o ddynion 'Rhendra'n mynd i fan'no bob dydd a'u bod nhw'n cael cyfloga da hefyd."

"Ond doeddach chi ddim i wybod hynny," triais ei gysuro.

"Ella ddim," medda fo, "ond does 'na ddim esgus am be ddigwyddodd wedyn rhyngdda i a dy frawd. Ddyliwn i ddim fod wedi gadael i betha fynd mor flêr. Arna i mae'r bai. Fi a 'nhempar. 'Sgen ti ddim syniad faint dwi wedi'i ddifaru am beth ddigwyddodd. A dwi'n gaddo i ti rŵan y bydda i'n gwneud pob dim fedra i i drio cael Geraint yn ôl yn rhan o'r teulu 'ma ar ôl i ni symud i Gae'r Delyn."

"Ydach chi'n meddwl y bydd hynny'n bosib?"

"Dyna'r unig beth neith fendio dy fam go iawn. Dwi'n gwybod na fydd o ddim yn ddigon i ni fynd adra i Gymru – mi fydd rhaid i'r teulu yma fod yn gyfa unwaith eto."

Ar ôl y sgwrs yma, doedd 'na fawr ddim allwn i ei

ddweud. Felly golchais y platiau a mynd yn ôl i'r llofft i
wrando ar yr albym *Sargeant Pepper*.

PENNOD 5

I ain't no fool and I don't take, what I don't want...
('Another Girl': Y Beatles)

Mae'n rhaid 'mod wedi ymgolli yn y miwsig achos
'nes i ddim clywad Dad yn agor drws ffrynt i
Nicola. Ond fe glywais ei sodlau hi'n taro'r grisia fel
morthwylion wrth iddi redag i fyny i'r llofft.

Dechreuais boeni y basa'r holl sŵn yn siŵr o ddarfu
ar Mam ond ches i ddim cyfle i boeni ymhellach,
oherwydd roedd Nicola wedi cyrraedd fel storm, a
safai yng nghanol fy stafell, gan syllu arna i a golwg
anghrediniol ar ei hwyneb.

Diffoddais y chwaraewr recordiau cyn i Nicola
ddechrau mynd drwy'i phethau.

"Yous wuz not think'n o'go'n out lewk'n laich dat!"
meddai. *"Worrell our Ricky an 'is mate think of yous?"*

Dyna pryd y cofiais i mi addo y baswn i'n mynd allan
ar *blind date* gyda Nicola a Ricky, ei chariad, a ffrind i
Ricky y noson honno. Roedd newyddion y dydd wedi
peri i mi anghofio pob dim am ein trefniadau.

Roedd Nicola wedi cael gwaith dydd Sadwrn yn siop
Woolworths ar Stryd Fawr Kensington ac yno roedd

hi wedi cyfarfod Ricky a oedd ddwy flynedd yn hŷn na hi. Roedd y ddau wedi bod yn mynd allan efo'i gilydd ers tua tri mis erbyn hyn a doeddwn i ddim wedi gweld dim arni yn ystod y penwythnosau ers hynny. Felly, pan gynigiodd i mi fynd i'r pictiwrs efo nhw nos Sadwrn, mi gytunais, er nad oedd gen i syniad pwy oedd y ffrind 'ma roedd Ricky am ddŵad hefo fo.

Er nad oedd gen i fymryn o awydd mynd allan, ro'n i'n gwybod nad oedd fiw i mi ddeud hynny wrth Nicola achos roedd hi wedi fy sodro ar y gadair erbyn hyn ac wrthi'n plastro fy wynab gyda cholur o'i bag.

"Caea dy llgada er mwyn i mi gael rhoi'r masgara 'ma arnat ti," meddai gan daenu'r hylif du dros flew fy amrannau.

Ers iddi ddechrau gweithio yn Woolworths, roedd gan Nicola ddigon o bres i brynu pob math o golur a dillad ffasiynol.

Wedi iddi frwshio 'ngwallt a chwistrellu *hairspray* arno fo, tyrchodd yn ei bag eto a dod â phâr o deits American Tan allan.

"Gwisga rhein – mi wnân nhw i dy goesa di edrach yn well."

Yna aeth i fy wardrob a thynnu fy nillad i gyd allan gan eu gadael yn bentyrrau blêr ar hyd y llawr. Wedi iddi ysgwyd ei phen a thwt-twtian dros y casgliad, dewisodd un o fy ffrogia gora a deud wrtha i am ei gwisgo'n reit sydyn.

Yna, dyma hi'n cymryd cam yn ôl er mwyn cael fy ngweld yn iawn.

"*Oo, Liz, yous looch as sad as Eleanor Rigby in dat*

long dress," meddai, gan estyn belt oddi ar ryw ddilledyn arall a'i glymu'n dynn rownd fy nghanol. Yna cododd y ffrog drosto fel nad oedd ei godra ond yn prin guddio fy nicyrs. Triais ddeud wrthi na fedrwn i ddim mynd allan gyda ffrog mor gwta, ond doedd Nicola ddim am gymryd dim o fy lol i, medda hi. Felly, pan ges i gyfle, pan doedd hi ddim yn edrach, mi dynnais fymryn ar y ffrog fel ei bod hanner ffordd i lawr fy nghlunia. Roedd hynny'n chydig mwy parchus, meddyliais.

Cyn pen dim, roeddan ni'n dwy yn clip clopian ein ffordd i fyny'r stryd yn ein sodla uchel. Fel roeddan ni'n nesáu at ben y stryd, teimlwn bwysau fel carreg drom yn fy stumog ac ro'n i'n gobeithio'n ddistaw bach na fyddai'r hogia wedi dŵad.

Ond, gwaetha'r modd, mi roeddan nhw yna.

Cyn gynted ag y gwelodd Nicola a Ricky ei gilydd, dyma nhw'n dechra snogio ar ganol y stryd, lle roedd pawb yn gallu eu gweld.

Wrth iddyn nhw snogio, safodd y bachgen arall a fi'n ddistaw gan edrych ar ein traed.

Pan ddaeth y gusan i ben o'r diwedd, tynnodd Ricky ei hun yn rhydd o afael Nicola er mwyn fy nghyflwyno i'w ffrind, Eric. Llipryn tal, tenau gyda thrwch o blorod ar ei fochau a gwallt cringoch a hwnnw'n amlwg wedi'i gribo â chrib gwlyb i geisio sythu'r cyrls a fynnai ailffurfio fel landar o gwmpas ei wyneb hir.

Gafaelodd Eric yn fy llaw gyda'i law chwyslyd, cyn dilyn Nicola a Ricky ar hyd y Stryd Fawr i gyfeiriad y Picturedrome.

Ro'n i'n teimlo'n swp sâl a dechreuais weddïo'n

ddistaw bach, "Plis, plis, Dduw, paid â gadael i rywun sy'n fy nabod i fy ngweld i hefo hwn..."

"Helô, Beti! Wyt ti am fy nghyflwyno i i dy *young man*?" Daeth llais Anti Rosie fel ateb cwbwl groes i fy ngweddi. Ro'n i wedi anghofio pob dim am y posibilrwydd o'i gweld hi'n gwerthu tocynnau yng nghyntedd y pictiwrs.

Teimlais fy hun yn cochi ac mi faswn wedi gwneud unrhyw beth i'r llawr fy llyncu yr eiliad honno.

"Wel, paid â sefyll yn fan'na fath â llo, hogan. Mi gyflwyna i fy hun iddo fo 'ta," medda hi cyn troi at Eric.

"I am Rosie and I have known Beti here since she was a little baby. You look after her now or you will have me to answer to, young man."

Yna, trodd ataf i a dweud ei bod yn gobeithio y byddwn i'n mwynhau fy hun. "Mae'n iawn i ti gael hwyl bach hefo'r hogia, 'sti, ond paid ti â gadael iddo fo gael gormod o'i ffordd ei hun yntê!" Yna rhoddodd winc cyn dweud na fasa hi ddim yn sôn dim wrth Dad ei bod wedi 'ngweld i hefo Eric. "Mae o'n dal i feddwl amdanat ti fel hogan bach, 'sti."

"Ym, ia, diolch," llwyddais i fwmblan rhyw fath o ateb, cyn i Nicola fy halio i ac Eric ymlaen am y grisiau oedd yn arwain i'r *auditorium*.

"Wa' wuz all dat about?" holodd Ricky wrth i ni ddringo'r grisiau. *"Wa' wuz dat strange lingo yew wuz talching?"*

"Dee wuz talching Welsh," eglurodd Nicola. *"Liz 'ere used to talch it all de time whun she fairst came ter de*

Pewl. But she talchs proper Inglish laich us now don't yew, Liz?"

"Ay thought Welsh wuz a dead lingo," meddai Eric gan drio swnio'n hollwybodus.

Teimlais y gwylltineb yn codi y tu mewn i mi ac ro'n i eisiau cau ceg Eric a dweud wrtho fo fod y Gymraeg yn iaith fyw ac yn cael ei defnyddio bob dydd gan filoedd o Gymry. Ond fedrwn i ddim. Do'n i ddim eisiau gwneud mwy o ffŵl ohonof fy hun. Wedi'r cwbwl, roeddwn i wedi dysgu cuddiad y ffaith 'mod i'n Gymraes ers blynyddoedd er mwyn i mi gael fy nerbyn yn llawn gan fy ffrindia.

"Yew should be thanktful dat Ay got yews an exotic foreign bird, Eric," meddai Ricky wrth stwffio heibio i gyplau eraill ar hyd rhes gefn y pictiwrs.

Do'n i erioed wedi eistedd yn y rhes gefn o'r blaen, gan mai seti dwbwl i gariadon oedd yno. Ond dyna lle y cefais fy hun y tro hwn, yn rhannu set ddwbwl hefo Eric.

Ochr bella i mi, roedd Ricky a Nicola wrthi'n hanner byta'i gilydd, fel y rhan fwya o'r cyplau eraill yn y rhes. Eisteddais yn syth gan syllu ar y sgrin fawr a cheisio anwybyddu'r fraich a estynnodd Eric rownd fy ysgwydd. Ond fedrwn i ddim canolbwyntio ar y ffilm, felly syllais ar fwg sigarét y person a eisteddai o 'mlaen i'n cordeddu i fyny fel rhuban arian yng ngolau'r taflunydd, cyn ymuno â mwg y cannoedd o sigarennau eraill yn un cwmwl tywyll o dan nenfwd yr *auditorium*.

Erbyn hyn, roedd Eric wedi tynhau ei afael am fy ysgwydd a chyda'i law rydd, gafaelodd yn fy ngên a throi fy wynab tuag ato.

Roedd o'n drewi o ogla *after shave* rhad a chips!

Daeth ei wynab yn nes ac yn nes at fy wynab i.

Toddodd ei ddau lygad pŵl yn un, fel rhyw Cyclops mawr.

Caeais fy llygaid. Temlais ei wefusau'n pwyso yn erbyn fy ngheg.

Caeais hi'n dynn.

Ceisiodd wthio'i dafod rhwng fy ngwefusau.

Fedrwn i ddim dal dim mwy. Gyda fy holl nerth, gwthiais Eric i ffwrdd. Ymbalfalais am fy mag o dan y sêt. Mwmblais rywbeth am doilet, cyn gwasgu fy ffordd heibio i'r rhesiad o gariadon.

Cyn pen dim ro'n i allan ar y stryd yn anadlu awyr iach Lerpwl.

Ar ôl cael fy ngwynt ataf, dechreuais gerdded yn gyflym am adra gan ddiolch i'r drefn nad oedd Anti Rosie ddim wedi 'ngweld i'n gadael ar fy mhen fy hunan.

Wedi cyrraedd y tŷ, brysiais ar fy union i fyny'r grisiau ac i'r ystafell molchi. Do'n i ddim am i Dad fy ngweld i yn y fath stad. Roedd yn rhaid i mi gael sgwrio ogla a blas anghynnes Eric oddi arnaf.

Sgwriais fy nannedd nes roedd fy ngheg yn gwaedu. Yna rhwbiais fy wynab efo cadach molchi nes roedd hwnw'n un stremp ddu o fasgara.

Ar ôl cyrraedd fy llofft tynnais fy nillad a'u gadael yn un swp ar lawr gyda'r holl ddilladau eraill a adawyd gan Nicola. Mi gliriwn i nhw yn y bore.

Gydag ochenaid, teflais fy hun ar fy ngwely. Pam roedd yn rhaid i bob dim fynd o'i le i mi?

Edrychais i fyny ar y poster o John. Fo oedd yr unig gariad ro'n i isio. Penliniais o flaen y llun a rhoi fy ngwefusau ar ei geg. Doedd dim ogla afiach *after shave* rhad na chips ar John. Dim ond ogla glân y papur ac arwyneb llyfn y poster.

PENNOD 6

If there's anything that you want...
Just call on me and I'll send it along
With love from me to you.
('From Me To You':Y Beatles)

Pam roedd yn rhaid i bethau newid? Roedd Nicola a fi wedi bod yn gymaint o ffrindia ers blynyddoedd, yn rhannu pob dim efo'n gilydd. Ond ers iddi hi gael y job 'na yn Woolworths, doedd dim byd arall ar ei meddwl hi ond hogia trwy'r adeg. Yna, ar ôl iddi ddechra mynd allan efo Ricky, doedd ganddi ddim amser i mi.

Roedden ni'n arfer cael gymaint o hwyl yn breuddwydio am ein dyfodol gyda'r Beatles.

Gwenais wrth gofio'r adeg honno, pan ddaethon ni'n ymwybodol o'r grŵp am y tro cynta.

Rhyw ddiwrnod glawog ar ddechrau gwyliau'r Pasg oedd hi, rhyw dair blynedd ar ôl i mi gyrraedd Lerpwl, pan aeth Nicola a finna i dŷ June MacLoughlin a oedd yn byw yn y stryd nesa. Erbyn hynny, roeddwn wedi setlo'n dda yn Lerpwl ac wedi gwneud criw o ffrindia. Roeddwn wedi colli fy acen Gymraeg ac yn gallu siarad Scouse fel taswn i wedi byw yn y ddinas erioed.

Roedd yna stafell chwarae fawr, braf yn nhŷ June ac mi fydda ei mam yn gadael i ni chwarae yno pan fydda hi'n lawog. Unig blentyn oedd June ac roedd ganddi lond lle o deganau o bob math. Roedd Nicola a fi wrth ein boddau pan oeddan ni'n cael chwarae gyda'i doliau Sindy newydd. Roedd ganddi tua hanner dwsin ohonyn nhw a wardob yn llawn o ddilladau arbenig i'w wisgo amdanyn nhw.

Tra oeddan ni wrthi'n chwarae gyda'r doliau, daeth Margaret Bannon, ffrind arall, draw.

"Dach chi ddim yn meddwl eich bod chi braidd yn hen i fod yn chwara hefo dolia?" medda hi.

"Dolia Sindys ydyn nhw 'te – tydyn nhw ddim fath â babi dols. 'Dan ni'n dysgu am ffasiwn a ballu wrth chwara hefo nhw," atebodd June braidd yn ddig.

"'Sgen ti well syniad be gân ni neud 'ta?" gofynnodd Nicola.

"Wel, oes, fel ma hi'n digwydd. Mae Mary ni wedi cael *record player* ar ei phen-blwydd ac mae ganddi recordia grêt y gallwn ni ddawnsio iddyn nhw."

Doedd dim angen dweud mwy – gadawyd y doliau Sindys ar lawr stafell chwarae June ac aeth y bedair ohonon ni draw i dŷ Margaret.

"Fydd dy chwaer ddim yn flin hefo ni am ein bod ni'n chwara ei recordia hi?" gofynnais wrth i ni ddringo'r grisia i'r ystafell wely roedd Margaret yn ei rhannu gyda'i chwaer hŷn.

"Fydd hi ddim adra trwy'r dydd achos mae hi wedi cael joban mewn siop i lawr yn y dre dros wylia'r Pasg. Felly os nawn ni roi petha'n ôl yn eu lle, fydd hi ddim callach."

Cyn hir roedd y pedair ohonon ni'n dawnsio yn nhraed ein sana gan ddal dwylo i gân y Beatles, 'I wanna hold your hand'.

Roeddan ni wedi mopio gyda'r gân ac fe fuon ni'n ei chwarae drosodd a throsodd nes ein bod wedi llwyr ymlâdd.

Eglurodd Margaret mai hogia o Lerpwl oedd y Beatles a'u bod yn prysur wneud enw iddyn nhw eu hunain trwy'r byd i gyd.

"Ylwch, dyma'u llunia nhw yn y cylchgrawn yma. Tydyn nhw'n ddel, 'dwch? George Harrison dwi'n ffansïo."

Plygodd Nicola, June a finna dros y llun a dewis Beatle bob un. Paul McCartney oedd dewis Nicola, John Lennon oedd fy newis i ac fe gafodd June Ringo Starr.

Cododd Margaret a rhoi record arall ymlaen a chyn hir roedden ni'n canu dros y lle, 'She loves you yeah, yeah yeah!'

* * *

Doedd dim troi'n ôl ar ôl hynny. Roedd ein bywydau wedi newid. Bydden ni'n treulio pob awr o'r dydd yn trafod neu'n breuddwydio am y Beatles.

Erbyn y Dolig canlynol, roedd y tair arall ohonon ni wedi cael chwaraewr recordia ein hunain ac roeddan ni'n gwario pob ceiniog o'n pres poced ar gylchgronau, posteri a recordia'r grŵp.

Cofio'n dda wedyn am wyliau arall ryw ddwy

flynedd yn ddiweddarach pan gawsom y syniad o fynd ar draws Lerpwl i weld cartrefi'r pedwar.

* * *

"Tydi lle George ddim ymhell o'r fan hyn," meddai Margaret.

"Biti na fasa gynnon ni fap neu rwbath i ddangos y ffordd yn iawn hefyd – mae hi mor hawdd mynd ar goll," meddai June, a oedd bob amser yn fwy pwyllog na'r gweddill ohonon ni.

Dyna pryd y cofiais i am y llyfr roedd Ger wedi'i brynu pan ddaeth i aros i Lerpwl am y tro cynta hwnnw. Os o'n i'n cofio'n iawn, roedd hwnnw'n dangos lleoliad pob stryd yn Lerpwl. Roeddwn i'n reit siŵr ei fod yn dal ar y silff yn y llofft wag.

Bum munud yn ddiweddarach, roedd y pedair ohonon ni'n pori dros y llyfr, gan chwilio am y strydoedd lle cafodd yr hogia eu magu.

"Beth am sgwennu llythyra neu rwbath iddyn nhw gael gwybod ein bod ni wedi bod yno?" meddwn i.

"Faswn i ddim yn gwybod be i roid mewn llythyr – ond mi faswn i'n gallu gneud siâp calon a sgwennu 'Nicola loves Paul' ynddi hi," cynigiodd Nicola.

Cytunodd y ddwy arall a dyna lle buon ni am dipyn yn trio llunio'r calonnau gorau a sgwennu tu mewn iddyn nhw:

With lots of love
to my John from his...
Miss Lizzy
xxx

Edrychais ar fy nghampwaith cyn nodio'n fodlon. Roeddwn am bostio'r neges yma drwy ddrws tŷ John taswn i'n cael y cyfla.

"Ond be tasa 'i wraig o'n cael gafael ynddi?" gofynnodd June. "Be 'sat ti'n neud wedyn?"

"Sgynno fo ddim gwraig, siŵr," atebais. "Hen stori wirion mae'r papura wedi'i neud ydi honna."

Edrychodd June ar y ddwy arall gan godi ei haeliau ond ddudodd 'run ohonyn nhw ddim gair.

Ond pan ges i gyfla, tra oedd y tair arall yn stydio llyfr Ger, gwasgais fy nghalon yn belen a'i stwffio i fy mhoced.

"Ddudis i, 'do?" medda Margaret cyn hir gan bwyntio at y map. "Os cerddwn ni ar draws Parc Wavertree ac yna ar hyd Picton Road, mi fyddwn ni'n siŵr o gael hyd i'r lle. Dewch 'laen, ella bydd George yna'n disgwyl amdana i."

Yn anffodus, roedd cartef George yn llawer pellach nag oedd o'n edrych ar y map ac wedi i ni gerdded am filltiroedd, o'r diwedd, daethon ni o hyd i'r lle. Rhyw stryd fach ddigon di-nod oedd hi hefyd, a dim i ddangos fod George Harrison wedi bod yn byw yno.

Er mwyn cuddio'i siom, aeth Margaret i fyny at rif 12 a churo ar y drws. Ond chafodd hi ddim ateb. Felly plygodd i lawr a gadael ei chalon ar stepen y drws.

Ond yna daeth pen llawn cyrlers allan o ffenast llofft y drws nesa a dechrau gweiddi ar Margaret i'w heglu hi'n reit handi ac i fynd â'i sbwriel hefo hi.

"Dim ond isio gadal neges i George ydw i," eglurodd June.

"Ia, m'wn. Ti a hannar genod erill y byd. Dos, cyn i mi alw'r plismyn!"

Cododd Mararet ei chalon a'i rhoi yn ei phoced cyn troi a cherdded yn ddigalon at Nicola, June a fi.

"Pwy sy angen ci gwarchod pan ma 'na bladras fath â honna'n byw drws nesa i chdi?" meddai Nicola.

"Rho gi ffyrnig i mi unrhyw ddiwrnod," atebodd Margaret gan ddechrau chwerthin. "George druan, yn gorfod byw drws nesa i'r fath anghenfil o ddynas. Mi geith o ddŵad i fyw hefo fi os licith o."

Ar ôl stydio tipyn mwy ar y map, penderfynwyd mai i Forthlin Road yn Allerton roedden ni am fynd y diwrnod wedyn. Dyna lle roedd Paul yn arfer byw. Ond roedd yn rhaid dal dau fŷs i gyrraedd fan'no.

Pan ddaethom o hyd i rif 20 o'r diwedd, aeth Nicola ar ei phenglinia ar lawr a chusanu'r pafin o flaen y tŷ cyn gosod ei chalon bapur ar stepen y drws, tra oedd y tair arall ohonon ni'n rhowlio chwerthin wrth edrych arni yn mynd drwy'r fath berfformans.

Ar ôl talu ffêr y bysiau i Allerton ac yn ôl, doedd gynnon ni ddim digon o bres i fynd i weld cartrefi John a Ringo'r wythnos honno. Felly dyma benderfynu y basan ni'n gwneud hynny ar ôl i ni gael mwy o bres poced.

Y noson cyn i ni gychwyn am gartref John, gorweddais yn fy ngwely gan ddychmygu ei gyfarfod wrth ddrws ei dŷ ac y basa'n fy ngwadd i mewn i gael panad efo fo a'i Anti Mimi.

Yn y bore, cymerais gamera Brownie bach Dad o'r cwpwrdd a'i stwffio i waelod fy Beatle Bag, cyn rhedeg i lawr i siop Mr Johnson i brynu ffilm i'w roi ynddo fo.

"Fedrwch chi lwytho'r ffilm i mi, plis?" gofynnais i Mr Johnson wrth iddo roi newid i mi.

"Gwnaf, siŵr," meddai gan gymryd y camera. "Lluniau o beth rwyt ti am eu tynnu felly?"

"Dim byd," meddwn i. "Dad sydd isio tynnu lluniau'r band."

Dwn i ddim pam fy mod i wedi dweud celwydd fel 'na wrth Mr Johnson. Ond mae'n debyg nad oeddwn i am iddo fo wybod fy musnes, rhag ofn iddo ddeud wrth Mam. Roedd o a hi yn dipyn o ffrindia.

Wrth i mi gerdded yn ôl i fyny'r stryd o siop Mr Johnson, daeth Nicola a'r lleill i 'nghyfarfod. Dangosais y camera iddyn nhw a gofynnodd June a faswn i'n tynnu llun o gartref Ringo iddi hitha hefyd.

Wedi dod o hyd i 'Mendips', cartref John ar Manlove Avenue, roeddwn yn teimlo'n reit hapus oherwydd roedd y tŷ yma'n dipyn gwell na thai George a Paul. Ac wrth i mi bwyntio'r camera at ddrws ffrynt y tŷ, gallwn ddychmygu fy hun yn eistedd yn cael te gyda John a'i Anti Mimi yn yr ystafell tu ôl i'r ffenast fwa a'i gwydr lliw.

"Tyd yn d'laen, Liz, stopia syllu ar y tŷ 'na. 'Dan ni isio dal bỳs i Liverpool 8 eto, cofia, er mwyn i June gael gweld lle Ringo," gwaeddodd Nicola gan fy nhynnu allan o fy mreuddwyd.

Wedi i ni gyrraedd y rhan o'r ddinas lle roedd Ringo'n arfer byw, bu'n rhaid i ni ymlwybro drwy strydoedd culion a thlodaidd yr olwg.

"Ma 'na enwa rhyfadd ar y strydoedd 'ma," meddai Margaret gan edrych arnyn nhw. "'Sach chi'n meddwl ein bod ni mewn gwlad dramor neu rwbath!"

Edrychais i fyny ar enwau'r strydoedd a sylweddolais fod yr enwau yn swnio'n gyfarwydd i mi: Foelas, Rhiwlas, Powys, Gwydir, Elwy, Teilo a Treborth. Enwau Cymraeg oeddan nhw i gyd! Agorais fy ngheg i ddechrau deud hynny wrth y lleill, yna cofiais nad oeddwn i am eu hatgoffa 'mod i'n wahanol.

"Dyma ni!" gwaeddodd June o'r diwedd. "Dyma Madryn Street!"

* * *

Agorais ddror fy nesg ac estyn y lluniau du a gwyn a dynnais o dai Ringo a John y diwrnod hwnnw.

Pam na fasa petha wedi aros yr un fath? Pam roedd yn rhaid i bawb newid?

Erbyn hyn, roedd June a Margaret wedi mopio'u penna am ryw hogia gwirion o'n dosbarth ni. Dwn i ddim be oeddan nhw'n ei weld ynddyn nhw, wir.

Roeddan nhw'n blorod i gyd a doeddan nhw'n gneud dim ond siarad am ffwtbol trwy'r adag. Ond pan wnes i drio cwyno am hyn wrth Nicola, trodd arnaf a dweud ei bod yn bryd i mi dyfu i fyny. Roedd hi'n amser i mi roi'r gorau i freuddwydio am John Lennon a chwilio am hogyn go iawn i'w ffansïo hefyd. Ond do'n i ddim isio hogyn go iawn. John oedd fy nghariad i. Roedd o'n siŵr o ddod o hyd i mi ryw bryd. Mi gâi Nicola weld!

Ond yn ddistaw bach, ro'n i wedi dechrau amau a fyddai fy mreuddwyd yn dod yn wir. Roedd 'na ryw newid wedi dod dros y Beatles hefyd yn ddiweddar. Byth ers iddyn nhw ddechrau mwydro'u penna hefo'r dyn bach gwirion 'na – y Mahariji neu rwbath – doeddan nhw ddim wedi bod yr un fath. Roedd John wedi tyfu ei wallt yn hirach ac roedd ganddo fwstash a sbectol gron ryfadd yn y llun ar glawr yr albym *Sargeant Pepper*.

Do'n i ddim yn dallt llawar o ganeuon newydd y Beatles chwaith: 'Lucy in the Sky' a phetha rhyfedd felly. Roeddan nhw'n llawn o ryw eiriau gwirion nad oedd yn gneud unrhyw synnwyr i mi. Dim fath â'r hen ganeuon fel 'I wanna hold your hand' a 'She loves you'. Ond faswn i byth yn cymryd y ddaear â chyfadda hyn wrth neb.

Oedd, roedd pawb a phob dim yn newid. Nicola, June, Margaret a'r Beatles. A rŵan, ar ben hynny i gyd, ro'n i'n gorfod gadael Lerpwl a mynd i fyw i Ben Llŷn.

Gafaelais yn y gonc bach a orweddai ar fy ngobennydd a'i wasgu'n dynn cyn gadael i'r dagrau lifo i lawr fy mochau.

PENNOD 7

So why on earth should I moan,
'cause when I get you alone
You know I feel OK...
('A Hard Day's Night': Y Beatles)

Fore trannoeth, agorais y cyrtans ac edrych allan ar yr awyr las oedd i'w gweld uwchben y tai dros ffordd. Roedd hi'n fore Sul braf. Gwisgais fy ngŵn nos a mynd i lawr grisia.

Pan gyrhaeddais y gegin, dim ond Mam oedd yno.

"Lle mae Dad?"

"Mae o 'di mynd i capal."

"O."

Roedd sôn am y capal yn gwneud i mi deimlo'n annifyr achos pan ddaethon ni i Lerpwl gynta, ro'n i wedi cael gymaint o groeso yno ac ro'n i mor falch o gael siarad Cymraeg hefo pobol eraill heblaw Mam a Dad. Ond wrth i mi gael fy llyncu gan fy mywyd newydd, dechreuais wneud esgusion i beidio â mynd i'r Ysgol Sul a'r gwasanaethau eraill yn y capal. Er mwyn i mi gael teimlo 'run fath â fy ffrindia, roedd yn rhaid i mi gefnu ar fy Nghymreictod y tu allan i'r tŷ. Dyna'r unig

62

ffordd y gallwn i ymdopi.

"Tyd, ista yn fa'ma," medda Mam. "Mi gawn ni ryw sgwrs bach a phanad cyn i mi ddechra paratoi cinio."

Mi ddylwn i fod wedi bod yn hapus wrth weld Mam yn ymddwyn mor naturiol.

Ond do'n i ddim.

Ers rhai blynyddoedd, do'n i ddim wedi gallu ymlacio yn ei chwmni. Bob tro y byddai hi'n edrych fel petai dim byd yn bod, mi allai'r peth lleia darfu arni a'i gyrru hi'n ôl i un o'i phylia. Roedd yn rhaid i mi bwyso a mesur pob gair yn ofalus cyn deud dim, rhag ofn i hynny ddigwydd. Felly, gan ochneidio'n dawel y tu mewn, eisteddais wrth fwrdd y gegin a derbyn ei phaned.

"Gei di weld, mi fydd petha'n iawn ar ôl i ni fynd adra. Yr hen le 'ma ydi'r bai, 'sti. Unwaith y byddan ni'n ôl ym Mhen Llŷn, mi fyddan ni'n iawn."

"Gobeithio wir, Mam," meddwn inna i'w chadw'n hapus.

"'Nes i rioed setlo 'ma fath â chdi a dy dad, 'sti. Doedd hi ddim mor hawdd i mi."

"Doedd hi ddim yn hawdd i mi ar y dechra chwaith..." O, diar, meddyliais, ddyliwn i ddim fod wedi deud hynna. Pam na faswn i'n cau 'ngheg a chytuno hefo hi?

"Dwi'n cofio, 'y mechan i," meddai, gan estyn am fy llaw. "Ro'n i'n cael fy rhwygo wrth orfod dy adael di wrth giât yr hen ysgol 'na bob bora. 'Sgen ti ddim syniad sut ro'n i'n teimlo. Ond, dyna fo, mae hynna i gyd drosodd rŵan ac mi gawn ni fyw'n hapus yng

Nghae'r Delyn," meddai, gan godi oddi wrth y bwrdd a mynd at y ffenast i sychu'r wyau.

Fedrwn i ddim aros i glywed mwy. Roedd yn rhaid i mi adael y gegin cyn i mi ddeud rhywbeth y byddwn yn ei ddifaru.

Felly, mwmbliais rywbeth am glirio fy llofft cyn ei heglu hi i fyny'r grisiau.

Cyn dechrau rhoi petha yn eu lle, trawais record ymlaen:

It's been a hard day's night...

Yna, i sŵn y miwsig, dechreuais glirio'r llanast oedd ar lawr ers y noson cynt. Mi fyddai Nicola'n arfer tynnu arna i am 'mod i'n licio bod yn drefnus a chael fy mhethau i gyd yn eu lle. Roedd ei llofft hi'n edrach fel tasa 'na fom wedi ffrwydro yno bob amser.

And I've been working like a dog...

Ond doedd y Beatles ddim yn gallu codi 'nghalon i'r bore hwnnw. Roedd geiriau Mam yn dal i fy nghorddi. Doedd gen i ddim syniad, wir! *Hi* oedd yr un heb syniad, dim fi!

* * *

Y diwrnod ar ôl i Ger adael ar ddiwedd y gwyliau Pasg cyntaf hynny, daeth yn amser i mi orfod mynd i'r ysgol o'r diwedd.

Y noson honno, daeth Mam a Dad i fy 'nanfon i'r gwely. Roedd hyn yn beth anarferol, achos doeddwn i rioed yn cofio gweld y ddau yn dŵad i fy swatio yr un pryd o'r blaen. Yna, pan eisteddodd Mam wrth ochr y gwely a Dad yn ei le arferol ar lintel y ffenast, ro'n i'n gwybod fod 'na rywbeth ar droed.

"Mae'n rhaid iti drio cysgu'n reit handi heno 'ma, 'y mechan i," medda Dad, "achos mae gen ti ddiwrnod mawr o dy flaen fory."

"'Dan ni'n mynd i'r parc?"

"Ym, na. Rhwbath pwysicach na hynny. Ti'n cael mynd i dy ysgol newydd."

Ro'n i'n gwybod yn ddistaw bach y bydda'n rhaid i mi fynd i'r ysgol yn Lerpwl rywbryd. Ond gan nad oedd Mam na Dad wedi sôn gair am y peth ers chydig ddyddia ar ôl i ni symud, ro'n i 'di rhyw hanner gobeithio eu bod nhw wedi anghofio ac y baswn i'n cael aros adra hefo Mam am byth.

"Yli," meddai Mam gan agor drws fy wardrob ac estyn ffrog a sgwaria bach glas a gwyn arni, "dyma ffrog i ti i fynd i dy ysgol newydd. Yn'tydi hi'n ddel? Rydw i wedi cael sandals glas i ti hefyd. Chdi fydd yr hogan fach ddela yn yr ysgol."

Doeddwn i ddim yn licio'r ffrog – roedd hi fath â chyrtans gegin. Doeddwn i ddim isio'r sandals glas a doeddwn i ddim isio mynd i'r ysgol newydd chwaith.

"Plis, Mam, peidiwch â gneud i mi fynd i'r ysgol. 'Sa'n well i mi aros adra'n gwmpeini i chi. Mi 'na i..."

"Mae'n rhaid i ti fynd i'r ysgol, 'sti, cariad," torrodd Dad ar fy nhraws."Mi fasa Mam a fi'n gallu mynd i helynt ofnadwy os na fasan ni'n dy anfon yno. Dwyt ti ddim isio i hynny ddigwydd, nag wyt?"

Fedrwn i ddim ateb achos roedd yr hen lwmp mawr hwnnw wedi dŵad yn ôl i 'ngwddw i – y lwmp fuo bron â 'nhagu cyn i mi symud i Lerpwl.

Fore drannoeth, cerddais gan afael yn dynn yn llaw Mam ar hyd y pafin a redai wrth ochr Edge Lane. I fyny allt Edge Hill tuag Ysgol Birchfield. Doedd gan 'run ohonon ni fawr i'w ddeud. Fi oherwydd y lwmp, a Mam am ei bod yn trio celu'r ffaith ei bod hi'n nerfus. Ond ro'n i'n gallu darllen ei theimlada'r bore hwnnw.

Gwibiai'r ceir a'r lorïau heibio gan dasgu dŵr o'r pyllau oedd yn y lôn dros y sandalau glas a fy sanau newydd. Mor wahanol oedd hyn i fy nhaith gynta i ysgol 'Rhendra ers talwm. Yr adeg honno, daeth merched y stryd i gyd i'w drysau i 'ngweld i'n mynd. Ond doedd neb yn ein nabod ni'n Lerpwl a doedd neb yn malio lle roedd yr hogan bach yn y ffrog las a'i mam yn mynd.

"Paid ti â phoeni, mi fyddi di'n iawn, 'sti," meddai Mam, cyn hir, gan drio 'nghysuro. Ond doedd 'na fawr o argyhoeddiad yn ei llais a chefais y teimlad y basa hithau'n licio 'nghael i adra'n gwmpeini iddi hi. Ond doedd fiw iddi ddeud hynny.

Fe gyrhaeddon ni flaen adeilad anferth o frics coch gyda wal fawr yn ei amgylchynu. Dim hon oedd yr ysgol? Doedd bosib! Gyda'i thair rhes o ffenastri uchel Edrychai'n debycach i garchar mawr nag i ysgol.

Arweiniodd Mam fi drwy'r giât ac ar draws yr iard at ddrws a'r geiriau 'Girls' Entrance' uwch ei ben. Doedd neb o gwmpas. Meddyliais am funud ein bod wedi gwneud camgymeriad ac nad oedd yr ysgol ar agor. Ond ar hynny, daeth dyn allan o ryw stafell a holi a fedrai'n helpu ni.

Y Prifathro oedd y dyn. Ac wedi i Mam roi'r

manylion iddo, dyma fo'n troi ata i a dweud wrtha i am ei ddilyn.

Ches i ddim amser i roi sws i Mam. Ond mi glywais i hi'n galw ar fy ôl gan ddeud wrtha i i gofio bod yn hogan dda ac y bydda hi'n siŵr o ddod at y giât i fy nôl amser mynd adra.

Siaradai'r Prifathro yn araf, araf, mewn llais uchel, achos roedd o'n meddwl nad o'n i'n dallt Susnag, mae'n siŵr. Ond mi ro'n i'n dallt y rhan fwya o be roedd o'n 'i ddeud. Ond fedrwn i ddim ateb am fod y lwmp yn fy nhagu. Felly'r cwbwl ro'n i'n gallu'i neud oedd nodio 'mhen fath â rhyw geffyl sioe.

Cyn mynd â fi i fy nosbarth, aeth y Prifathro â fi o gwmpas yr ysgol gan drio egluro be oedd be. Aeth â fi i ben draw'r coridor lle roedd ei stafell o. Yna dyma fo'n agor drws a fy arwain i mewn i'r lle gwag, anferth 'ma.

"This is the Hall, Elizabeth," meddai.

Doeddwn i ddim yn dallt, achos ro'n i'n wedi meddwl erioed mai twll oedd *hall*.

Mae'n rhaid ei fod o wedi gweld ar fy wynab nad o'n i 'di dallt, felly eglurodd yn araf mai yno roedd gwasanaethau yn cael eu cynnal a hefyd mai dyna lle roedd pawb yn cael eu cinio.

Roedd yr Hall yn anferth o le. Edrychai'n debyg i Gapal Mawr Dre, lle ro'n i'n arfar mynd i Gymanfa, ond heb y seti a gyda dau galeri uwch ben! Roedd y to'n uchel, uchel, i fyny. Ym mhen draw'r Hall, roedd 'na lwyfan ac yn y pen arall roedd grisiau haearn a arweiniai i'r galeri cynta.

Aeth y Prifathro â fi i fyny'r grisia ac i'r galeri. Rhyw

fath o goridor a redai reit rownd y pedair wal oedd y galeri. Ar un ochr iddo fo roedd ffens haearn i stopio'r plant rhag disgyn i lawr i'r Hall. Felly, roedd pigau main ar ben y ffens er mwyn stopio'r plant rhag ei dringo, meddai'r Prifathro. Er, dwn i ddim pwy 'sa'n ddigon twp i drio gneud peth felly achos roedd llawr yr Hall ymhell i lawr oddi tanon ni.

Ar ochr tu fewn y galeri roedd wal deils gwyrdd tywyll, hyll. Bob hyn a hyn, roedd drysau yn y wal i fynd i'r gwahanol ddosbarthiadau.

Eglurodd nad oedd angen i mi fynd i fyny i'r galeri ucha, gan mai dosbarthiadau'r plant mawr oedd yn fan'no. Cofiais i mi deimlo'n ddiolchgar gan 'mod i'n teimlo'n reit simsan ar y galeri isa heb sôn am yr un ucha.

Cyn hir, stopiodd y Prifathro o flaen un drws, gan egluro mai hwn oedd drws fy nosbarth i ac mai Miss Matthews fyddai fy athrawes.

"This is a new girl for you, Miss Matthews. Her name is Elizabeth Hughes. She is a Welsh speaker, so I'm not quite sure about the standard of her English. But I'm sure you will make her feel at home in this class, won't you children?" meddai'r Prifathro gan droi at blant y dosbarth.

Codais fy mhen i weld rhesi ar resi o wynebau'n syllu arna i. Roedd 'na fwy o blant yn y dosbarth yma nag oedd 'na yn ysgol 'Rhendra i gyd efo'i gilydd!

PENNOD 8

Through thick and thin
She will always be my best friend...
('Another Girl': Y Beatles)

Erbyn hyn roedd y record wedi hen orffen troelli ac roeddwn inna wedi llusgo fy hun yn ôl i'r presennol.

Be oedd ar fy mhen i'n poeni am bethau a ddigwyddodd wyth mlynedd yn ôl? Beth am fy ngwaith ysgol rŵan? Pa effaith fasa'r symud yn ei gael ar fy addysg?

Ers i ddosbarth Blwyddyn Pump orffen eu harholiadau Lefel O, chydig wythnosau 'nghynt, roedd yr athrawon wedi troi eu sylw aton ni, ddisgyblion Blwyddyn Pedwar, gan bentyrru gwaith arnon ni a'n hatgoffa'n barhaus mai'n tro ni fyddai hi nesa i sefyll yr arholiadau.

Yn wahanol i Nicola, ro'n i'n mwynhau'r rhan fwya o'r gwaith ysgol ac ro'n i wedi gobeithio cael aros ymlaen i'r chweched dosbarth a mynd i goleg hyfforddi er mwyn bod yn athrawes ryw ddiwrnod. Ond rŵan, ro'n i'n gorfod gadael ar ganol y cwrs ac ailddechra mewn ysgol arall yng Nghymru. Digon hawdd i Dad a Mam ddeud eu bod nhw am aros tan ddiwedd y tymor cyn symud, ond doedd pethau ddim mor hawdd â hynny. Mae'n debyg y basa'r cyfnod Hanes ro'n i wedi'i astudio'n wahanol, a'r llyfrau gosod Susnag yn wahanol hefyd.

A beth am y Gymraeg? Doeddwn i ddim wedi cael gwers Gymraeg ers i mi adael Cymru wyth mlynedd ynghynt.

Ond doedd waeth i mi heb â thrio egluro hynny i Mam a Dad, fasan nhw ddim yn dallt peth felly. Addysg oedd addysg iddyn nhw.

Petasai Ger yn dal mewn cysylltiad, mi faswn i'n gallu trafod y peth efo fo. Ond fel roedd hi, doedd gen i neb i droi ato.

Gydag ochenaid, agorais fy llyfr gwaith cartref Hanes ac edrych ar y traethawd roeddwn i fod i'w gwbwlhau cyn dychwelyd i'r ysgol y diwrnod wedyn: *Write an essay on the effects of the Reform Bill of 1832 on Liverpool.*

Caeais y llyfr yn glep a'i stwffio i waelod fy mag ysgol. Mi gâi 1832 aros. Beth oedd yr ots am 1832 beth bynnag, a chymaint o betha'n digwydd i mi yn 1967?

Agorais fy llyfr Bioleg: *Draw and label the reproductive organs of a female rabbit.*

Ryw hanner awr yn ddiweddarach, a finnau wedi trio gwneud rhyw fath o lun tu mewn i gwningen a labelu ei horganau, codais oddi wrth fy nesg a tharo record arall ymlaen.

Cyn hir, roeddwn wedi ymgolli yng ngeiriau'r gân ac yn gweld arwyddocâd newydd ynddyn nhw:

When I was younger, so much younger than today,
I never needed anybody's help in any way...

Fel arfer, roeddwn i'n gallu uniaethu gyda geiriau'r rhan fwya o ganeuon y Beatles, ond doedd y geiriau yma'n gwneud dim synnwyr i mi. Pan oeddwn i'n fengach, roedd arna i wir angen help rhywun i fy helpu i setlo yn fy ysgol newydd yn Lerpwl. Cyn i mi sylweddoli beth oedd yn digwydd, roedd fy meddylia wedi dianc yn ôl wyth mlynedd, i'r diwrnod cynta hwnnw yn Ysgol Birchfield unwaith eto.

* * *

Rhoddodd Miss Matthews fi i eistedd mewn sêt wag wrth ymyl rhyw hogyn digon blêr yr olwg. Roedd hi'n amlwg nad oedd arno fo isio fi yno ac fe nath o hynny'n glir drwy droi ei gefn ata i a gollwng rhech uchel. Dechreuodd gweddill y plant biffian chwerthin nes i Miss Matthews eu dwrdio.

Roedd gen i ddigon o Susnag i ddeall cryn dipyn o beth roedd yr athrawes yn ei ddweud ond fedrwn i ddim yn fy myw â chael hyd i fy llais i'w hateb pan ofynnai rhywbeth i mi. Roedd yr hen lwmp hwnnw'n fy nhagu. Felly rhoddodd ddarn o bapur o 'mlaen a gofyn i mi sgwennu amdanaf fy hun.

Edrychais ar y ddalen wen am dipyn cyn rhoi 'mhen lawr a dechrau sgwennu.

Roedd y geiriau'n tywallt allan a chyn hir ro'n i wedi llenwi'r dudalen gyda disgrifiadau o 'mywyd cyn i mi gyrraedd Lerpwl.

Ar ddiwedd y wers, cymerodd Miss Matthews fy ngwaith a gwenodd pan welodd faint ro'n i wedi'i sgwennu. Ond buan y diflannodd y wên a daeth cwmwl dros ei hwyneb pan sylweddolodd 'mod i wedi sgwennu'r darn yn Gymraeg.

"You must write in English now, Elizabeth," meddai'n ddigon caredig. *"Now that you're in England, you should forget your Welsh and try hard in English. Do you understand?"*

Nodiais.

Ond do'n i ddim yn dallt. Ddim yn dallt o gwbwl. Pam roedd yn rhaid i ni ddŵad i fyw i Lerpwl? Pam roedd yn rhaid i mi fynd i ysgol lle nad oedd neb yn dallt fy iaith i? Pam na faswn i'n cael mynd yn ôl adra i'r 'Rhendra? Pam? Pam? Pam?

Yn ystod yr amser chwarae, daeth criw o genod yr un oed â fi i sefyll o 'nghwmpas i yn yr iard. Roeddan nhw i'w weld yn ddigon clên wrth iddyn nhw drio siarad hefo fi. Ond do'n i'n dallt dim gair roeddan nhw'n 'i ddeud. Roeddan nhw'n siarad rhyw iaith hollol wahanol i Susnag, gyda *'ch'* fath â sy'n Gymraeg – ond, eto, dim Cymraeg oedd hi chwaith.

Cyn hir, collodd y genod fynadd gan nad o'n i'n ymateb. Felly, gan godi eu sgwydda ac ysgwyd eu penna, dyma nhw'n fy ngadael i'n sefyll ar 'y mhen fy hun yng nghanol yr iard lle roedd cannoedd o blant yn chwarae o 'nghwmpas i: rhai yn rhedeg, rhai yn sgipio, rhai yn lluchio peli. Pawb yn mwynhau eu hunain.

Ym mhen pella'r iard roedd y giât lle roedd Mam a fi wedi dod drwyddi'r bore hwnnw. Cerddais yn araf ati.

Trois fy nghefn ar yr iard a syllu allan drwy'r bariau. Allan yn fan'na'n rhywle roedd ein tŷ ni.

Trawais gip sydyn dros fy ysgwydd ond roedd pawb yn rhy brysur i sylwi arna i. Felly'n araf, estynnais am y gliced ac agor y mymryn lleia ar y giât cyn llithro allan i'r stryd.

Ro'n i'n rhydd!

Mi faswn i'n medru perswadio Mam a Dad i 'nghadw i adra. Doedd dim pwynt i mi aros yn yr ysgol, gan nad oedd neb yn fy nallt i. A doeddwn i ddim yn eu dallt nhw chwaith...

Erbyn hyn roeddwn wedi cyrraedd pen draw'r stryd. Trois y gornel gan obeithio gweld lôn brysur Edge Lane o fy mlaen. Ond doedd dim golwg o'r stryd honno. Cerddais ymlaen am chydig a throi cornel arall i wynebu stryd arall a edrychai'n union fel y stryd o'u blaen. Yr un brics coch. Yr un rhesi diddiwedd o ffenastri a drysa. Ro'n i ar goll!

Erbyn hyn, roedd fy nhraed i'n dechra brifo yn fy sandalau newydd ac eisteddais ar stepen drws rhyw dŷ i'w rhwbio. A dyna pryd y daeth y dagrau ro'n i wedi cwffio mor galed i'w dal yn ôl. Ond rŵan doedd dim modd eu hatal. Roeddan nhw'n llifo lawr fy wynab ac yn diferu i lawr ar fy ffrog newydd nes roedd honno'n stremps i gyd.

Dwn i ddim pa mor hir y bûm i'n eistedd ar y stepen cyn i un o'r athrawon ddod o hyd i mi a fy arwain yn ôl i'r ysgol ac i stafell y Prifathro, lle cefais fy nwrdio a'm rhybuddio nad o'n i, ar boen fy mywyd, i wneud peth fel'na eto.

Bu'r tymor cynta yn Ysgol Birchfield yn amser anodd iawn, iawn. Doedd gen i 'run ffrind a theimlwn ar goll ac yn unig yng nghanol y cannoedd o blant. Doedd y gwersi ddim yn rhy ddrwg ac mi synnais fy hun wrth sylwi 'mod i'n dallt mwy o Saesneg nag a feddyliais i. Ond Saesneg yr athrawon oedd hwnnw. Siaradai'r plant ryw iaith Scouse a do'n i'n dallt dim be roeddan nhw'n ei ddeud ar y dechra.

* * *

Roedd y record wedi hen orffen ac yn troi yn ei hunfan. Codais oddi ar y gwely a chwilio drwy fy nghasgliad am gân arall fyddai'n codi fy nghalon.

She loves you, yeah, yeah, yeah...

Do'n i ddim isio meddwl mwy am y fy nyddia cyntaf yn Ysgol Birchfield. Roedd o wedi bod yn gyfnod anodd iawn, iawn. O edrych yn ôl, synnais wrth feddwl sut y gwnes i ddod trwyddi a finna ond yn saith oed ar y pryd.

... with a love like that,

you know you should be glad...

Cofiais mor falch oeddwn i pan gyrhaeddodd gwyliau'r haf o'r diwedd a finna'n cael sbario mynd i'r ysgol am saith wythnos. Ond buan iawn aeth y saith wythnos heibio ac y daeth hi'n amser mynd yn ôl i'r ysgol unwaith eto.

Daeth yr hen lwmp yn ôl i fy ngwddw fel ro'n i'n trio paratoi fy hun i wynebu tymor hir arall.

Pan ddaeth hi'n amser chwarae'r bore cynta, mi es i

sefyll yn fy lle arferol wrth ymyl y giât, gan edrych ar y plant eraill i gyd yn mwynhau eu rhyddid o'r dosbarth. Roedd mwy o siarad a chwerthin nag arfer gan fod cymaint ganddyn nhw i'w ddweud wrth ei gilydd ar ôl saith wythnos o wyliau.

Roeddwn i wedi bod ar fy ngwyliau hefyd, yng Nghae'r Delyn. Daeth dagra i fy llygaid wrth i mi gofio'r amser braf ro'n i wedi 'i gael yno. Ond fasa neb yn fa'ma'n dallt peth mor braf oedd cael rhedag yn rhydd drwy'r caeau. Cael rasys wrth luchio dail i'r afon un ochr i'r bont a rhedeg i drio'i dal cyn iddyn nhw fynd heibio'r ochor arall. Cael siarad a chwerthin yn Gymraeg. Cael cwmni Ger...

"*Ariite! Do ye 'nah Press'at in?*"

Torrodd llais Nicola Burns, un o genod mwya poblogaidd y dosbarth, ar draws fy meddylia. Pam roedd hi wedi gofyn rhywbeth am wasgu rhyw het i mi? Ysgydwais fy mhen i ddangos iddi nad o'n i'n dallt.

Yna dyma hi'n gofyn oeddwn i'n nabod "*R'yl.*"

"*It's in Wales laich and ye from Wales aren't yous?*"

Roeddwn i'n barod i ysgwyd fy mhen unwaith eto, pan sylweddolais ei bod yn gofyn oeddwn i'n nabod Rhyl.

Wrth gwrs 'mod i'n nabod Rhyl. Ro'n i wedi bod yno sawl gwaith ar drip Ysgol Sul!

Roedd Nicola wrth ei bodd ac mi dreuliodd weddill yr amser chwarae'n disgrifio'i hymweliad â Rhyl. Wrth iddi ddechrau sôn am y Marine Lake a'r gwahanol reids, mi ffeindiais i fy hun yn ymuno yn y sgwrs a chyn hir roeddan ni'n dwy yn chwerthin yn braf wrth gofio am holl ryfeddodau'r lle.

Pan ganodd y gloch ar ddiwedd yr amser chwarae, gafaelodd Nicola yn fy mraich a throi at y genod eraill a deud wrthyn nhw mai fi oedd ei ffrind gorau hi o hynny 'mlaen, gan 'mod i'n dŵad o "R'yl".

Wrth gyd-gerdded i fyny'r grisiau yn ôl i'r dosbarth, dywedodd ei bod am fy ngalw i'n Liz, gan ei fod yn llawer haws i'w ddweud ac yn fwy cyfeillgar nag Elizabeth...

* * *

"Betiii? Be ti'n neud yn y llofft 'na mor hir? Brysia, wir, dwi isio help efo'r cinio dydd Sul 'ma cyn i dy dad ddŵad adra!"

PENNOD 9

I get by with a little help from my friends...
('With a Little Help From My Friends': Y Beatles)

R oeddwn i wrthi'n helpu Mam i sychu'r llestri cinio, pan ddaeth cnoc ar y drws. Aeth Dad i ateb.

"Nicola sy 'ma!" gwaeddodd o'r drws cyn ei gwadd i mewn i'r stafell fyw.

Roedd Dad a Nicola'n tynnu 'mlaen yn dda, gan fod y ddau'n cefnogi Everton ac mi fyddan nhw wrth eu boddau'n trafod ffwtbol hyd syrffed. Ond doedd gan Mam fawr i'w ddweud wrth Nicola a rhoddodd ochenaid pan ddeallodd mai hi oedd wrth y drws.

"Dwn i ddim pam dy fod ti'n mynnu gneud gymaint efo'r hogan 'na," fydda hi'n arfer ddeud. A phan fyddwn i'n trio achub cam Nicola a'i hatgoffa ei bod hi wedi bod yn ffrind da iawn i mi, ysgwyd ei phen wnâi Mam a deud y basa'n well i mi gael ffrind bach neisiach, tebycach i mi fy hun.

Ond Nicola oedd fy ffrind gora i. Er ei bod hi wedi newid cryn dipyn yn ddiweddar, ro'n i'n dal i feddwl y byd ohoni.

Ar ôl gorffen sychu a chadw'r llestri, rhedais i'r llofft

i newid gan adael Nicola i siarad ffwtbol efo Dad.

Wrth newid i ddillad mynd allan a gwisgo fy sandals pren Doctor Scholl's, dechreuais feddwl pam roedd Nicola wedi galw draw. Doedd hi rioed wedi galw ar bnawn dydd Sul o'r blaen. A deud y gwir, chydig iawn o'i chwmni ro'n i'n ei gael tu allan i'r ysgol erbyn hyn. Roedd hi'n treulio'i hamser i gyd efo Ricky. Petaswn i wedi bod yn hollol onest, mi faswn i'n cyfadda 'mod i'n flin iawn bod yr hen Ricky 'na wedi dŵad rhyngom ni. A'r gwir amdani oedd mai'r unig reswm y gwnes i gytuno i fynd ar y dêt trychinebus 'na'r noson cynt oedd er mwyn plesio Nicola.

Ond weithiodd hynny ddim ac roedd hi'n siŵr o fod yn meddwl 'mod i'n rêl babi'n rhedag allan o'r pictiwrs fel 'nes i am nad o'n i isio i'r hogyn gyffwrdd ynof i.

Oedd hi'n dal yn flin efo fi am hynny? Doedd ond un ffordd o gael gwybod.

Taflais gipolwg sydyn arnaf fy hun yn y drych ar gefn drws y wardrob cyn cloncian lawr grisia yn y Doctor Scholl's.

Roedd hi'n ddiwrnod heulog, braf a dyma ni'n penderfynu mynd am dro i Barc Wavertree. Ar ôl croesi lôn brysur Edge Lane a cherdded drwy giatiau'r parc, roedd fy nhraed i'n dechrau brifo yn y sandals pren, achos roedd yn rhaid i mi gyrlio 'mysedd traed er mwyn eu rhwystro rhag llithro i ffwrdd. Yn rhy hwyr, fe sylwais nad oedd hi'n syniad da gwisgo teits neilon hefo nhw. Ond roedd fy nghoesa mor wyn fel arall.

"*Yous need some Tanfastic, laich me,*" medda Nicola, gan ddangos ei choesa brown i mi.

O'r tu blaen roedd ei choesa'n edrach fel petai wedi bod yn torheulo am fis yn Sbaen neu rywla. Ond roedd eu cefna'n streips i gyd gyda thoman o'r stwff brown wedi hel at ei gilydd yn y crych tu ôl i'w phenglinia.

Roedd 'na adeg pan faswn i wedi gallu ei herian hi am hyn ond 'nes i ddim deud dim y tro hwn ond cytuno bod y lliw haul potal yn grêt, rhag i mi bechu eto.

Gan nad oedd hi 'di sôn 'run gair am y noson cynt, teimlwn yn eitha siŵr ei bod hi'n reit flin am y peth. Felly, pan ddaethon ni o hyd i fainc i eistedd arni, dyma fi'n ymddiheuro.

"Yli, Nicola," meddwn i. "Mae'n ddrwg gen i am neithiwr. Ond fedrwn i ddim aros yn y sinema a gadael i'r Eric 'na ddringo drosta i. Doedd o ddim o fy nheip i."

Chwerthin wnaeth Nicola a deud nad oedd hi'n fy meio i o gwbwl a'i bod hi'n meddwl fod Eric yn *"'opelessly square"*.

Roedd hi 'di poeni y baswn i wedi digio hefo hi hefyd am iddi hi a Ricky drefnu dêt i mi hefo boi mor ddiglem.

Roedd hi'n gymaint o ryddhad cael gwybod nad o'n i wedi pechu yn ei herbyn a dyma fi'n chwerthin yn iawn wrthi iddi ddisgrifio sut roedd Eric wedi aros yn y rhes ôl y pictiwrs ar ei ben ei hun gan fwyta popcorn yng nghanol y cyplau erill tan ddiwedd y ffilm.

Wrth chwerthin yn braf yng nghwmni Nicola unwaith eto, diflannodd yr hen deimlad diarth 'na a oedd wedi dŵad rhyngon ni ers iddi hi ddechra mynd allan efo Ricky.

Ond buan y daeth yn ei ôl, pan dyrchodd Nicola yn ei bag a thynnu allan bacad deg o Number Six. Do'n i'm yn gwybod ei bod hi 'di dechra smocio. Ond ro'n i'n benderfynol o beidio dangos iddi 'mod i'n synnu. Doedd hi ddim am gael cyfle i 'nghyhuddo i o fod yn fabïaidd eto. Felly, pan gynigiodd hi sigarét i mi, mi gymris i un gan gymryd arnaf 'mod i 'di hen arfar. Teimlais y mwg yn llosgi cefn fy ngwddw a llyncais bwyri fel dwn i ddim be er mwyn stopio fy hun rhag tagu. Ar ôl hynny, daliais y sigarét rhwng fy mysedd gan fflicio'r llwch ar lawr bob hyn a hyn a theimlo'n soffistigedig iawn.

"Mae gen i newydd da i ti, Liz," medda Nicola ar ôl iddi orffen tynnu ar ei sigarét. Roedd hi wedi bwriadu deud wrtha i'r noson cynt, medda hi, ond chafodd hi ddim amsar oherwydd yr holl frys fuo 'na i 'nghael i'n barod.

Roedd hi wedi gallu cael swydd i mi dros yr haf yn Woolworths.

Ro'n i wedi bod yn torri 'mol eisiau joban yno ers hydoedd, er mwyn i mi gael digon o bres i brynu'r holl bethau roedd hogan fy oed i eu hangen, a hynny heb orfod swnian ar Dad am bres pocad o hyd.

Ro'n i wedi dechrau gweithio bob bore Sadwrn yn siop bapur newydd Mr Johnson ar waelod y stryd. Ond doedd y cyflog yn fan'no'n fawr ddim. Petawn i'n cael gwaith yn Woolworths, mi fasa gen i ddigon o bres i brynu...

Ond sut o'n i am ddeud wrth Mr Johnson 'mod i'n rhoi'r gorau i weithio iddo fo a fynta wedi bod mor dda hefo fi? Mi faswn i'n siŵr o bechu...

Yna, dyma fi'n cofio.

Fedrwn i ddim derbyn y swydd yn Woolworths, beth bynnag. Fyddwn i ddim yno!

Trois at Nicola a dweud wrthi ein bod yn gadael Lerpwl.

Edrychodd arna i'n syn. Yna dechreuodd brotestio. Fedrwn i ddim gadael Lerpwl. Beth oedd hi'n mynd i'w wneud hebdda i? Fi oedd ei ffrind gora hi!

Daeth hen atgofion yn ôl wrth i mi glywed Nicola'n protestio, a chofiais fel y bu'n rhaid i mi dorri newyddion fel hyn unwaith o'r blaen, saith mlynedd ynghynt. Rhywbeth yn debyg oedd ymateb Alwen Mai 'radeg honno hefyd, pan ddudis i wrthi 'mod i'n gadael y 'Rhendra. Pam oedd yn rhaid i mi adael fy ffrindiau fel hyn unwaith eto?

Fuo hi ddim yn hawdd torri'r newydd i Nicola. Ro'n i'n teimlo ei bod hi'n fy meio i am 'mod yn mynd a'i gadael. Mi driais egluro wrthi nad oedd arna i isio gadael o gwbwl ond nad oedd gen i ddewis yn y mater. Roedd y pethau yma'n cael eu penderfynu ar fy rhan i. Doeddwn i ddim yn cael unrhyw gyfle i benderfynu ynglŷn â fy nyfodol fy hun.

"But Liz, yous can't leuv me now, ay need yous!"

Roeddwn yn dechra cael llond bol ar ymateb hunanol Nicola. Doedd hi ddim yn poeni dim amdana i'n gorfod gadael Lerpwl ac yn gorfod ailddechra byw yn rhywle arall eto.

Fy angen i, wir! Doedd hi ddim wedi bod fy angen i ryw lawar ers iddi ddechra potsian efo'r hen Ri...

"Ay think am pregnant!"

81

Be? Oeddwn i 'di cl'wad yn iawn? Oedd Nicola newydd ddeud ei bod hi'n *mynd i gael babi*?

Na, fedra fo ddim bod yn wir – doedd hi ond 'run oed â fi. Malu awyr oedd hi. Deud rwbath er mwyn trio gneud i mi aros oedd hi.

Ond wedyn, dyma fi'n edrach ar ei hwynab hi. Roedd y dagrau'n rowlio lawr ei bocha nes roedd ei masgara'n llifo fel dwy afon ddu. Roedd golwg ofnadwy arni. Mae'n rhaid ei bod hi 'n deud y gwir.

Roedd Nicola yn disgwyl babi.

Daeth rhyw hen deimlad lletchwith drosta i. Os oedd Nicola'n disgwyl babi roedd hynny'n golygu ei bod hi wedi bod yn gneud y *petha 'na* efo Ricky.

Ych a fi! Sut medra hi?

Am funud, mi 'nes i ddechra meddwl mai Mam oedd yn iawn – roedd Nicola'n goman!

Ond pan sylwais arni unwaith eto a gweld y panic yn ei llygaid, dechreuais deimlo'n flin efo mi fy hun am fod yn gymaint o snob.

Nicola druan. Sut fath o ffrind ro'n i, i droi fy nhrwyn arni? Pwy o'n i i'w barnu? Do'n i rioed wedi cael cariad. Digon hawdd oedd breuddwydio am gael fy nghario i ffwrdd ar gymylau gan John Lennon ond roedd cariad Nicola yn rhywun go iawn ac roedd y petha 'ma'n digwydd. Dim Nicola oedd y gynta achos roedd 'na genod eraill o'r ysgol wedi gorfod gadael am eu bod nhw'n disgwyl. Ond Nicola! Be oedd hi am neud? Be fedrwn i neud i'w helpu hi? Doeddwn i ddim yn gwybod be ddyliwn i ddeud wrthi.

"Oh Liz, wa' am ay go'n ter do?" medda hi cyn dechra

beichio crio. Doedd gen i ddim ateb iddi, felly doedd dim arall fedrwn i neud ond gafael yn dynn amdani a gadael iddi grio.

Ymhen hir a hwyr, stopiodd Nicola grio a dechreuodd ddŵad ati ei hun. Gofynnais iddi oedd Ricky'n gwybod. Ond ysgydwodd ei phen a deud fod arni ofn deud wrtho fo, rhag ofn na fasa fo'm isio dim i' neud efo hi wedyn.

"Faint ti 'di fynd?"

"Dwi'm yn gw'bod."

"Ti 'di bod at y doctor?"

"Na. Ond dwi am golli'r ysgol rywbryd a mynd i glinic i gael gwybod yn iawn. Mi welis i fanylion am ryw glinic yn Liverpool 8 mewn toiledau lawr dre."

"Pam bod rhaid i ti fynd i fan'no? Fedri di ddim mynd at dy ddoctor dy hun?" gofynnais.

"Fedra i ddim mynd at 'yn doctor ni, rhag ofn iddo fo ddeud wrth Mam. Mi fasa hi'n fy lladd i tasa hi'n gwybod."

"Ond os ti'n disgwyl babi, mi fydd dy fam yn siŵr o ddod i wybod cyn hir pan fydd dy fol di'n dechra tyfu," meddwn i gan edrach ar stumog Nicola a oedd yn edrach mor fflat ag erioed.

"Dwi isio amsar i feddwl am y peth ac i ddeud wrth Ricky cyn i Mam gael gw'bod. Dyna pam dwi am fynd i'r clinic yn Liverpool 8. Fydd 'na neb yn nabod fi'n fan'no. Ond mae arna i gymaint o ofn."

"Fasat ti'n licio i mi ddŵad efo chdi i'r clinic?"

Torrodd gwên ddiredus dros wyneb Nicola cyn iddi fy mhwnio a deud, "Ro'n i'n dechra meddwl na fasat ti byth yn cynnig."

"Wel, i be mae ffrindia'n da 'te?" atebais gan drio edrach yn ddidaro. Ond y gwir amdani oedd nad oedd gen i ddim syniad beth oedd o flaen Nicola ond o leia ro'n i'n gallu bod yno iddi hi am ryw chydig eto cyn y byddwn yn gorfod gadael Lerpwl.

Ar ôl i Nicola gael bwrw ei bol yn iawn a siarad am ei hofnau a'i gobeithion, dyma ni'n codi oddi ar y fainc ac yn cychwyn cerdded o'r parc.

"Dwi mor falch 'mod i wedi deud wrthat ti, Liz. Roedd hi mor anodd cadw popeth tu fewn, 'sti."

"Wel, dwi'n falch dy fod ti wedi deud wrtha i hefyd," meddwn inna. "Fasa gen ti fawr o le i'r babi os basat ti'n cadw bob dim tu fewn!"

"Yous 'ardfaced th'n...!" meddai Nicola gan gynnig cic i mi ar fy mhen-ôl.

Yna dyma ni'n dwy'n dechra chwerthin dros y lle nes roedd dagra'n powlio i lawr ein bochau. Roedd yr hen gyfeillgarwch yn dal yn fyw felly ac, er gwaetha popeth, roeddan ni'n dal i allu herian a chwerthin yng nghwmni ein gilydd.

Ar ôl sadio rywfaint, gafaelodd Nicola yn fy mraich a dechrau bloeddio canu:

I'll get by with a little help from my friends...

Ond yn nhawelwch fy llofft yn hwyrach y diwrnod hwnnw, doeddwn i ddim mor siŵr y basa Nicola'n iawn. Roedd ei thrafferthion hi'n gwneud i fy rhai i edrach yn bitw iawn. Doedd gen i 'run syniad beth fedrwn i neud i'w helpu hi, heblaw am fynd hefo hi i'r clinic. A doedd gen i ddim syniad be oedd yn mynd i ddigwydd yn fan'no chwaith. Roedd cael babis a ballu tu hwnt i fy myd i. Yr unig beth oedd gen i i'w gynnig oedd deiagram o organau rhywiol cwningen!

PENNOD 10

She's got a ticket to ride...
('Ticket to Ride': Y Beatles)

Yn ystod yr egwyl [break] fore trannoeth, aeth Nicola a fi i ben pella'r iard, o glyw pawb, i gynllunio sut roeddan ni am adael yr ysgol y pnawn canlynol i fynd i'r clinic. Roedd hyn yn gofyn am drefnu manwl gan ei bod hi wedi mynd bron mor anodd dianc o'r ysgol yn ddiweddar ag y basa hi i ddianc o garchar Walton.

Roedd hi'n arfer bod yn eitha hawdd llithro allan o'r ysgol yn ystod yr awr ginio. Ond ar ôl yr 'Helynt Mawr', ryw chwe mis ynghynt, roedd y Prifathro a'r athrawon yn ein goruchwylio'n fanwl drwy'r dydd, a gwae ni os nad oeddan ni'n bresennol ar gyfer ein cofrestru ar ddechrau pob pnawn.

Rhyw ddydd Mercher cyffredin yng nghanol Chwefror oedd hi, pan ddudodd rhywun ei fod wedi clywed bod y Beatles wedi dŵad adra i Lerpwl. Yna ychwanegodd rhywun arall eu bod nhw'n mynd i ganu yn y Cavern. Tyfodd y stori, a chafwyd ar ddallt y byddai yna gyngerdd rhad ac am ddim yn y Cavern y pnawn hwnnw a bod 'na groeso i bawb fynd yno. Lledodd y stori fel tân gwyllt o ddosbarth i ddosbarth ac erbyn amser cinio, roedd yr ysgol yn ferw i gyd.

Roedd y Beatles wedi dŵad adra ac roeddan nhw'n mynd i ganu yn y Cavern!

Roeddan ni i gyd yn gwybod nad oeddan nhw 'di canu yn y Cavern ers pedair blynedd a bod y clwb wedi wynebu llawer o drafferthion ers hynny. A deud y gwir, roedd y lle wedi cau am rai misoedd y flwyddyn cynt, cyn i'r Prif Weinidog, Harold Wilson, ei ailagor yn haf 1966.

Bedair blynedd ynghynt, roeddwn i a fy nghyddisgyblion yn rhy ifanc i fynd i'r Cavern. Ond rŵan, doedd dim yn mynd i'n stopio ni rhag mynd yno!

Felly, pan ganodd y gloch i nodi diwedd gwersi'r bore, rhuthrodd dros hanner disgyblion yr ysgol – a Nicola, Margaret, June a finna yn eu plith – allan drwy giatiau'r ysgol.

Doeddan ni ddim am aros i feddwl am y canlyniadau. Y cwbwl oedd ar ein meddyliau oedd cael cyrraedd y Cavern a bod yn bresennol yn y cyngerdd. Roedd fy nghyfle mawr i i gael cyfarfod John ar fin cyrraedd!

"Dwi 'di deud wrthat ti fod Danny ni yn nabod y boi 'ma sy'n nabod cyfnither John, yn'do? Ella y gwneith hi dy gyflwyno di iddo fo, 'sti," medda Nicola.

"Ia, ia," meddwn i braidd yn ddiamynedd. Ro'n i wedi hen laru ar yr hen stori yna erbyn hyn ac yn dechra amau mai rhywbeth roedd Nicola wedi'i wneud i fyny oedd yr holl beth. "Tyd wir, ella y gwna i 'i gyfarfod o fy hun heddiw heb help dy frawd, na'r boi 'na, na chyfnither John!"

Mae'n debyg ein bod yn olygfa ryfedd. Cannoedd

o ddisgyblion yn eu gwisg ysgol yn gorymdeithio ar hyd strydoedd y ddinas. Dechreuodd rhywun ganu a chyn hir roedd pawb wedi ymuno nes roedden ni i gyd wrthi'n bloeddio, *"She's got a ticket to ride..."*

Daeth pobl i ddrysa'u tai a siopwyr allan o'r siopau er mwyn gweld be oedd yn digwydd. Ymunodd llawer yn yr orymdaith nes chwyddo'r rhifau yn fwy fyth. Ceisiodd ambell i blisman ar Mount Pleasant ein stopio, gan fygwth ein harestio os na fasan ni'n troi'n ôl. Ond chafodd eu bygythiada ddim argraff arnon ni. Roedd yn rhaid i ni gyrraedd y Cavern cyn i'r cyngerdd ddechrau... *"She's got a ticket to ride..."*

Yng nghanol y dref, daeth y traffig i stop wrth i ni orymdeithio 'mlaen i gyfeiriad North St John's Street.

O'r diwedd, dyma ni'n cyrraedd Matthew Street a chlwb y Cavern.

Roedd y drysau ar gau! Doedd dim golwg o neb.

Aeth rhai o'r bechgyn i gefn yr adeilad i weld oedd 'na rywun yno i'w holi.

Pan ddaethon nhw yn ôl, roedd y siom i'w weld ar eu hwynebau. Roeddan nhw wedi dod o hyd i'r gofalwr ac roedd o wedi eu sicrhau nad oedd 'na ddim gwir yn y stori. Doedd y Beatles ddim yn mynd i ganu yn y Cavern y pnawn hwnnw nac unrhyw bnawn arall am a wyddai o.

Aeth ebychiad o siom drwy'r dorf. Dechreuodd y dagrau lifo i lawr fy mochau. Roeddwn i wedi meddwl yn siŵr y baswn yn cael gweld John o'r diwedd. Ond doedd hynny ddim i fod.

Ro'n i 'di cerdded am filltiroedd heb sylwi ar unrhyw

flinder na phoen yn fy nhraed. Ond rŵan, roedd yn rhaid i ni droi'n ôl a wynebu'r un daith hir am adra. Am y tro cynta'r diwrnod hwnnw, dechreuais sylweddoli be oeddwn i a'r lleill wedi'i neud a gwyddwn y byddai 'na drwbwl mawr yn ein disgwyl wedi i ni ddychwelyd i'r ysgol y diwrnod wedyn.

Coblyn o drwbwl fuo 'na hefyd. Galwyd ein rhieni i'r ysgol i gyfarfod â'r Prifathro ac fe fygythiwyd pob un ohonon ni gyda phosibilrwydd o gael ein diarddel. Ond ddaeth 'na ddim byd o hynny, gan y byddai'r ysgol yn colli dros hanner ei disgyblion. Felly, derbyniodd y bechgyn gansen go hegar a bu'n rhaid i ni'r genod aros ar ôl ysgol ar dditension bob nos am bythefnos.

Er bod 'na ryw hanner blwyddyn bellach ers yr helynt, roedd mesurau diogelwch yn dal yn eu lle ac roedd y gofrestr yn cael ei galw ar ddechrau pob sesiwn bnawn ers hynny.

"Rhaid i ni gael rhywun i gyfro i ni fory," medda Nicola wrth i ni drio gwneud cynllunia sut roeddan ni am ddojo'r ysgol i fynd i'r clinic y diwrnod wedyn.

"Fedran ni ofyn i June a Margaret ddeud ein bod ni'n sâl neu rywbath."

"Na, dwi ddim isio iddyn nhw fynd i drwbwl," medda Nicola, "os cawn ni'n dal."

"Wel, diolch yn fawr! Be am y trwbwl faswn i ynddo fo 'ta, os basan ni'n cael ein dal?" meddwn inna'n bwdlyd.

"Wel, does 'na'm llawer y gallan nhw neud i ti a chditha'n gadal 'mhen llai na tair wythnos. Yli, dwi wedi cael syniad," medda hi wedyn. "Be am i ni ofyn i Amanda Brown a Pauline ein helpu? Mi fedran nhw ddeud ein bod ni wedi gorfod aros i mewn i llnau'r stofs yn lle *cookery* ne' rwbath."

"Be? Ti rioed am ddeud wrth y ddwy yna ein bod ni'n mynd i'r clinic? 'Sa waeth i ti'i roi o ar ddalen flaen yr *Echo* ddim."

Chwerthodd Nicola a deud wrtha i beidio â phoeni ac nad oedd ganddi ddim bwriad deud dim am y clinic wrthyn nhw.

"Tyd, awn ni i chwilio amdanyn nhw rŵan."

Doedd gen i ddim i'w ddeud wrth Amanda Brown a Pauline. Hen genod coman, fydda'n gneud dim ond sbeitio rhywun o hyd. Pan fyddai Nicola ddim o gwmpas, mi fyddan nhw'n tynnu arna i yn amal gan ddeud rhyw betha sbeitlyd fel mod i'n licio defaid yn fwy na hogia am fy mod i'n Gymraes. Ond doeddan nhw byth yn meiddio deud dim pan fydda Nicola o gwmpas.

Ar ôl chwilio ar hyd a lled yr iard amdanyn nhw, daethon ni o hyd i'r ddwy yn cael smôc tu ôl i'r sied feics.

Tynnodd Nicola bacad o Number Six o bocad ei *blazer* ac ar ôl tanio un iddi hi ei hun ac un i mi, gofynnodd i Amanda a Pauline ddeud celwydd dros y ddwy ohonon ni'n ystod y sesiwn gofrestru'r diwrnod wedyn.

"Iawn, mi nawn ni," meddai Amanda Brown gan dynnu ar ei sigarét, "ond dwi'n meddwl nad ydi hi ond yn iawn i mi a Pauline gael gw'bod y gwir am lle dach chi'n mynd fory."

"Ia," medda Pauline. "Mi fasan ni mewn trwbwl os

basa'r *teachers* yn ffeindio ein bod ni'n deud clwydda."

"Wel," meddai Nicola gan blygu 'mlaen a gostwng ei llais, "mi dduda i wrtha chi os ydach chi'n gaddo peidio deud wrth neb arall."

"Ti'n nabod ni – fasan ni byth yn deud wrth neb."

Pan glywis i hyn, mi fuo'n rhaid i mi droi 'nghefn rhag i mi chwerthin. Sut roedd Nicola'n gallu dal?

"Iawn 'ta," medda hi wedyn. "Mae Liz a fi yn mynd ar ddêt hefo Ricky a'i ffrind Eric pnawn fory, 'tydan, Liz?" medda hi gan droi ata i a rhoi winc.

"Liz, yous darch 'orse. Oo's dis Erich 'dun?"

Teimlais fy hun yn mynd yn chwys poeth ac yn cochi fel tomato.

Ond cyn i mi orfod ateb, dyma Nicola yn mynd yn ei blaen i ddisgrifio Eric.

"Mae o'n *gorgeous* ac yn *really groovy*," medda hi. "A deud y gwir, mae o'n edrach yn union fel Paul McCartney. 'Tydi, Liz? Mae o wedi mopio hefo Liz 'ma, ers iddo fo ei chyfarfod hi. A deud y gwir, nath y ddau ddim gollwng ei gilydd drwy'r ffilm yn y Picturedrome nos Sadwrn!"

"Nicola, paid..."

"Twt, 'sdim isio i ti fod yn shei, Liz. Neith Amanda a Pauline ddim deud wrth neb, siŵr. Na newch genod?" medda hi gan droi at y ddwy. "Beth bynnag, os basa gen i hogyn mor ddel 'di gwirioni amdana i, mi faswn i isio i bawb wybod. Dwi'n gwybod bod Ricky yn *great* a phob dim ond rhaid i mi gyfadda nad oes ganddo fo hanner y *looks* sy gan Eric."

Roedd Amanda a Pauline yn syllu arna i hefo'u cegau'n agored erbyn hyn. Ond doedd Nicola ddim wedi gorffen. Aeth yn ei blaen i egluro sut roedd gan Eric a Ricky bnawn i ffwrdd o'u gwaith yn ffatri Plessey y diwrnod wedyn. A sut roedd hi a fi am eu cyfarfod ar y Pier Head amser cinio cyn i'r pedwar ohonon ni groesi'r Mersi ar fferi.

"Felly, genod, dwi'n siŵr y gallwn ni eich trystio i ddeud wrth yr athrawon ein bod yn llnau yn yr ystafell goginio pnawn fory."

Nodiodd y ddwy gan addo y basan nhw siŵr o gyfrio droson ni. Yna, gofynnodd Pauline oedd gan Ricky fwy o ffrindiau golygus fel Eric iddyn nhw.

"Nicola, mi fedrwn i dy ladd di!" meddwn i wrth i ni gerddad yn ôl ar draws yr iard. "Be ddaeth dros dy ben di i ddeud y ffasiwn glwydda wrth y ddwy yna o bawb? Mi fydda i'n teimlo'n rêl ffŵl rŵan achos maen nhw'n siŵr o ddeud wrth bawb am Eric a fi!"

Chwerthin nath Nicola a deud wrtha i ymddiried ynddi. Roedd hi'n gwybod sut roedd Amanda a Pauline wedi bod yn tynnu arna i am nad oedd gen i gariad. Wel rŵan, roeddan nhw wedi cael digon i gau eu cega am byth ac mi ddyliwn i gael llawer mwy o barch o hynny 'mlaen.

"Ond be tasan nhw'n ffeindio allan sut un ydi Eric go iawn? Mi fasan nhw'n chwerthin am fy mhen yn fwy nag erioed wedyn."

"Nawn nhw ddim ffeindio allan. A beth bynnag, ti'n symud o 'ma. Felly, does dim pwynt i ti boeni."

"Pam na 'sat ti wedi deud fod Eric yn debyg i John

'ta, os oeddat ti isio deud mor ddel oedd o?"

"Wel, dyna pam y dudis i ei fod o'n debyg i Paul achos mae'n rhaid i ti gyfadda fod Paul yn ddelach na John!" medda hi gan chwerthin.

"O na, tydi o ddim!"

"Yndi, mae o!"

Aeth yr hen ddadl yma ymlaen fel gêm ping-pong am dipyn nes y dechreuodd y ddwy ohonon ni ysgwyd chwerthin.

Roedd hi'n amhosib aros yn flin efo Nicola am hir, yn enwedig wrth i mi gofio y baswn i'n gorfod mynd a'i gadael hi yng nghanol ei helyntion mewn llai na thair wythnos.

Mae'n rhaid bod Amanda a Pauline wedi deud wrth bawb amdana i ac Eric erbyn y pnawn achos daeth llawer o'r genod nad oedd yn cymryd unrhyw sylw ohona i fel arfer ata i a bod yn glên iawn. Doeddwn i erioed wedi bod mor boblogaidd!

PENNOD II

A taste of honey
Tasting much sweeter than wine...
('A Taste of Honey': Y Beatles)

Roeddwn i wrthi'n crafu gwaelodion y pot, cyn taenu'r mêl dros fy nhost, pan gyrhaeddodd Nicola'n gynnar fore trannoeth.

Cynigiais dost iddi, ond ysgydwodd ei phen a deud nad oedd hi ddim yn teimlo'n rhy dda yn y boreua.

Doedd dim golwg rhy dda arni chwaith. Roedd ei hwynab hi'n llwyd iawn ac roedd o dan ei llygaid yn ddu.

"Ti'n dal isio dŵad hefo fi pnawn 'ma?"

Nodiais a dangos iddi sut ro'n i wedi stwffio pâr o drowsus a thop i mewn i fy mag ysgol.

Roeddan ni wedi trafod yn y parc y diwrnod cynt y basa'n rhaid i ni newid o'n dillad ysgol cyn mynd i'r clinic neu mi fasan nhw'n gwybod bod Nicola o dan oed ac wedyn mi fasan nhw'n holi.

Llyncais fy nhost a 'mhanad cyn rhedeg i fyny grisiau i llnau 'nannedd a ffarwelio hefo Mam a oedd dal yn ei gwely, cyn cychwyn gyda Nicola am y bỳs.

Fel ro'n i'n tynnu'r drws ffrynt ar fy ôl, dyma hi'n gofyn oedd gen i'r fath beth â photel *screw top*.

"Pam ti isio peth felly?"

"I'r sampl, 'te," medda hi gan stwffio heibio i mi 'nôl i'r tŷ.

"O, wela i," meddwn i er nad o'n i'n dallt am be roedd hi'n sôn.

"Neith hwn y tro?" meddwn i gan godi'r pot mêl oddi ar y bwrdd. "Mae o bron yn wag ac mae 'na gaead *screw top* arno fo."

Gafaelodd Nicola yn y pot a'i stwffio i'w bag cyn i ni ailgychwyn am y bỳs-stop ar waelod y stryd.

Llusgodd gwersi'r bore ac roedd hi'n teimlo fel oes erbyn y cyrhaeddodd amser cinio o'r diwedd. Roedd Nicola a fi wedi penderfynu sleifio allan trwy giât yr ysgol tra byddai'r athrawon a'r *prefects* yn brysur yn trio cadw trefn yn y lle cinio. Ar ôl cael newid ein dillad wrth dalcan ryw dŷ, dyma ni'n dal bỳs i ganol dre.

Roedd 'na fisoedd wedi mynd heibio ers i ni fynd gyda'n gilydd ar fỳs i lawr i'r dre. Ond naethon ni ddim mynd i'r llawr top y tro yma na chanu cân Petula Clark, 'Down Town'.

Wedi cyrraedd gorsaf fysiau Lime Street, daethon ni o hyd i fỳs oedd yn mynd i ardal Liverpool 8.

Gan nad oedd Nicola'n teimlo fel siarad, eisteddais yn ddistaw gan edrych allan trwy'r ffenast ar y strydoedd blêr a'r tlodi. Roedd ffenastri'r rhan fwya o'r tai wedi'u bordio ac roedd graffiti'n blastar ar hyd y waliau. Ambell waith, byddai'r bỳs yn mynd heibio i lecynnau gwag, lle roedd gweddillion ambell dŷ i'w weld ar dalcen tŷ arall. Tybed oeddan nhw wedi'u gadael fel hyn ers y bomio amser rhyfel? Oedd 'na bobl wedi cael eu lladd tra oeddan nhw'n gorwadd yn eu gwlâu yn y stafelloedd yna lle roedd y lle tân yn dal i hongian a lle roedd olion ambell i bapur papuro'n dal i lynu'n styfnig?

Aeth y bỳs yn ei flaen, heibio blociau o fflatiau dienaid gyda rhesi ar resi o ddillad golchi yn hongian o bob balconi.

Be fasa Mam 'di neud tasa hi wedi gorfod dŵad i fyw i fan hyn? Mi fasa ganddi reswm i fynd i'w phylia wedyn. Be faswn i 'di neud? Mi fasa...

"Come 'ead, Liz," torrodd llais Nicola ar draws fy meddylia. *"We gerr off 'ere."*

Ar ôl i ni adael y bỳs, tynnodd Nicola ddarn o bapur o'i phocad gyda manylion y clinic arno fo. Edrychodd o'i chwmpas am funud cyn dechra cerddad.

"Ti'n siŵr mai ffor' 'ma 'dan ni i fod i fynd?" gofynnais gan edrach yn nerfus o fy nghwmpas ar y stryd fygythiol oedd yn ein hwynebu.

"Ia, dwi'n meddwl. Tyd!" meddai gan gychwyn cerdded yn gyflym.

Cychwynnais ar ei hôl yn reit sydyn achos doeddwn i ddim am gael fy ngadael ar fy mhen fy hun. Roedd pob stryd fudur a blêr yn arwain at stryd futrach a blerach lle roedd plant bach hanner noeth yn ein rhegi a chŵn gwyllt yn chwyrnu ac yn coethi wrth i ni fynd heibio. Oni bai am Nicola, mi faswn i wedi hen droi'n ôl. Ond doedd hi'n cymryd dim lol gan y plant na'r cŵn.

Roeddwn i'n boeth ac roedd fy nhraed i'n brifo wrth gerdded ar hyd y sets anwastad a orchuddiai strydoedd cefn Toxteth. Cofiais mai sets fel hyn oedd prif gynnyrch chwaral y 'Rhendra erstalwm a'u bod wedi'u defnyddio i orchuddio strydoedd Lerpwl. Tybed oedd y cerrig sgwâr yma dan fy nhraed wedi dŵad o 'Rhendra? Tybed ai fy nhaid nath eu llunio nhw? Ond doedd dim amsar i feddwl am betha felly – roedd yn rhaid i mi frysio i ddal Nicola a oedd yn brasgamu yn ei blaen.

Mae'n rhaid ein bod ni wedi cerddad milltiroedd cyn i ni ddod o hyd i'r clinic o'r diwedd. Y tu allan i'r adeilad roedd criw o ferchaid yn janglo. Wrth i Nicola a fi drio mynd heibio iddyn nhw, dyma nhw'n stopio siarad a dechra syllu arnan ni fel tasa gynnon ni ni gyrn ar ein penna.

"Yer not from deeze part ay yous!" meddai un gan ddal sigarét yn un llaw a dal ei bol anferth i fyny gyda'i llaw arall. *"Yous posh birds think yous can com e'yers ter get rid o' yer sbrogs."*

"Be oedd y ddynas 'na tu allan yn trio'i ddeud, d'wad, pan ddudodd hi dy fod ti 'di dŵad i fa'ma i gael gwarad ar y babi?" holais Nicola wrth i ni ddringo i fyny'r grisia cul ac i mewn i'r clinic.

Yna, dyma fo'n fy nharo i, "Dwyt ti ddim yn meddwl cael *abo…?*"

"Cau dy geg. 'Cofn i rywun dy gl'wad di," arthiodd Nicola gan sodro golwg heriol ar ei hwynab.

Doeddwn i ddim yn nabod y Nicola yma. Fedra hi ddim cael gwarad ar y babi. Roedd yn rhaid i mi ei stopio hi. Ond cyn i mi fedru deud dim mwy, roedd hi wedi mynd at y ddesg lle rhoddodd enw a chyfeiriad ffug i'r nyrs a deud ei bod hi'n un ar hugain oed.

Dwi ddim yn meddwl fod y nyrs wedi credu hyn am eiliad achos mi welis i sut y cododd hi ei haeliau wrth gl'wad Nicola'n palu'r fath glwydda.

"Ia, wel, mi gawn ni fynd i mewn i'r manylion yma eto," medda hi. "Ond mae'n well i ni brofi dy fod ti'n feichiog gynta. 'Sgen ti sampl?"

Estynnodd Nicola'r pot mêl o'i bag a'i roi i'r nyrs.

Mi fuon ni'n eistedd am hydoedd yn yr ystafell aros wedyn. Roedd Nicola wedi troi ei chefn ata i ac wedi claddu ei phen mewn rhyw gylchgrawn er mwyn osgoi gorfod egluro i mi be oedd ei bwriad yn dŵad i'r fath le.

Oedd hi wir yn bwriadu cael gwared ar y babi?

Do'n i ddim isio dim i'w neud â hynny. Doedd gan Nicola ddim hawl i fy nhynnu i mewn i'r peth.

Eto, be faswn i'n ei neud pe baswn i'n ei lle hi? Faswn i byth yn gallu deud wrth Mam 'mod i'n disgwyl. Mi 'sa hynny'n 'i lladd hi!

Edrychais o 'nghwmpas. Roedd y stafell aros yn llawn o ferchaid beichiog gyda boliau o bob maint. Mewn un gornel, roedd lle i blant bach chwara gyda theganau a llyfrau o bob math. Roedd y waliau wedi'u gorchuddio â phosteri am fwydo o'r fron a phetha felly.

Clinic go iawn oedd y lle yma, dim lle i gael gwarad ar fabis! Gollyngais ochenaid o ryddhad. Dim dŵad yma i gael gwarad ar y babi nath Nicola felly. Dim ond isio prawf i weld oedd hi'n disgwyl go iawn oedd hi wedi'r cwbwl.

Trois ati er mwyn ymddiheuro ond cyn i mi allu deud dim, roedd y nyrs o du ôl y ddesg wedi dŵad aton ni a doctor a dwy nyrs arall gyda hi.

Trodd un o'r nyrsys ata i a gofyn oeddwn i hefo Nicola ac os felly, y basa'n well i mi ddŵad hefyd i roi manylion llawn iddyn nhw.

"Cofia, mi rydan ni angen y manylion cywir y tro yma achos mi allai bywyd dy ffrind fod yn y fantol." *at risk /w, the balance*

Erbyn hyn, roedd dau ddyn ambiwlans wedi cyrraedd ac roeddan nhw wrthi'n clymu Nicola i ryw *stretcher* cyn ei chario hi i lawr grisiau'r clinic ac i mewn i ambiwlans oedd yn aros y tu allan.

"Liz, ay yous thuz? Ay won't go anywhuz without Liz!" clywais Nicola'n galw.

"Paid â phoeni, dwi yma. Mi fydd pob dim yn iawn, gei di weld," atebais mor hyderus ag y medrwn i wrth ddringo i mewn trwy ddrws cefn yr ambiwlans.

Ches i ddim cyfla i ddeud dim mwy, gan fod y doctor ac un o'r nyrsys yn brysur yn stwffio gwahanol beips a ballu i mewn iddi.

Be oedd yn digwydd i Nicola? Doedd hyn ddim yn arferol? Pam nath y nyrs yn y clinic ddeud bod bywyd Nicola yn y fantol? Oedd hi'n mynd i farw?

Wrth i'r ambiwlans ruthro drwy strydoedd cul Lerpwl gyda'r seiren yn canu, roedd yn rhaid i mi ateb llwythi o gwestiynau am Nicola. Ei henw a'i chyfeiriad cywir, ei dyddiad geni, enwau ei pherthnasau, rhif ffôn agosaf ac yn y blaen ac yn y blaen.

Ceisiais ateb y cwestiynau mor fanwl ag y gallwn gan 'mod i'n gwybod nad oedd hwn yn amser i ddeud celwydd. Roedd bywyd Nicola, am ryw reswm, mewn peryg. *"A matter of life or death,"* ddudodd y nyrs yn y clinic. Doedd bosib ei bod wedi trio gneud rhywbeth iddi hi ei hun?

Cyn hir, cyrhaeddodd yr ambiwlans y Royal Infirmary a dyma nhw'n dadlwytho Nicola a'i gosod ar droli cyn i ddau bortar ei phowlio i mewn trwy ddrysau'r ysbyty ac ar hyd y coridorau hir.

Ro'n i'n eitha cyfarwydd â'r Royal, gan i Nain Cae'r Delyn fod yma droeon. Roedd llawer o'r doctoriaid a'r nyrsys yn Gymry hefyd ac mi fydda rhai ohonyn nhw'n dŵad i'n capal ni. Ond doedd dim amser i feddwl am betha felly wrth drio dal i fyny â throli Nicola.

Cyn hir, dyma ni'n cyrraedd drws ward gyda 'Accidents and Emergency' wedi'i sgwennu arno fo. Fel roeddan nhw'n gosod Nicola ar wely tu ôl i gyrtans yn y ward, daeth 'na nyrs ata i a deud wrtha i i fynd i'r stafell aros tan y basa rhywun yn dŵad ata i.

Wrth i mi gerdded 'nôl a blaen o gwmpas y stafell aros am y canfed tro, daeth Mr a Mrs Burns, mam a tad Nicola i mewn. Roeddan nhw wedi cael tacsi cyn gynted ag y clywson nhw fod Nicola wedi ei rhuthro i'r ysbyty.

"Liz? Wa' ay yous do'n yer? What's 'appen'n to our Nichola?" gofynnodd Mr Burns mewn llais crynedig tra oedd ei wraig wedi dŵad ata i a gafael yn dynn amdana i gan feichio crio.

Ysgydwais fy mhen a deud nad o'n i'n gwybod be oedd yn bod heblaw bod Nicola wedi cael ei rhuthro i'r ysbyty mewn ambiwlans a 'mod i wedi dŵad hefo hi.

"Ond be oeddach chi'n neud yn Liverpool 8? Mi ddaeth 'na negas ffôn i siop fara yn y stryd acw i ddeud eu bod nhw wedi mynd â Nicola i'r Royal 'ma o ryw glinic yn fan'no."

Ro'n i wedi fy nghornelu. Be o'n i'n mynd i' neud? Fedrwn i ddim deud wrthyn nhw fod Nicola'n disgwyl babi.

Ond cyn i mi gael amser i ateb, agorodd drws yr ystafell aros a daeth Nicola i mewn.

Safodd yn ei hunfan ar ganol y llawr a diflannodd hynny o liw oedd yn ei bochau pan welodd ei mam a'i thad.

Rhedodd Mrs Burns ati a'i chofleidio'n dynn.

"*Thank de Lord*," meddai Mr Burns gan groesi ei hun. "*Our kid's alright.*"

"Dwi'n credu bod gen ti waith egluro petha i dy rieni," meddai'r nyrs a ddilynodd Nicola i mewn i'r stafell. "Mi adawa i chi ar eich pennau eich hunain, achos mae gennych chi lawer o betha i'w trafod, ddwedwn i."

Codais inna gan fwriadu dilyn y nyrs allan o'r stafell. Ond dyma Nicola'n galw arna i a gofyn i mi aros achos roedd arni fy angen i yno tra byddai hi'n egluro i'w rhieni.

Doeddwn i ddim isio bod yno o gwbwl ac mi faswn i wedi gneud rhwbath i'r llawr fy llyncu'r munud hwnnw.

Ond doedd dim angen i mi boeni achos ar ôl i Nicola egluro ei bod hi'n meddwl ei bod yn disgwyl a'i bod wedi mynd i'r clinic i gael profion i wneud yn siŵr, gwenodd ei rhieni mewn rhyddhad.

"Diolch byth! Mi ddown ni drwyddi. Dim chdi ydi'r

gynta i ddisgwyl babi cyn prodi yn teulu ni, yn naci, Sid?" meddai Mrs Burns gan edrach ar ei gŵr. "Roeddan ni'n meddwl fod 'na rwbath mawr 'di digwydd i ti. Be oedd yr holl ffŷs? Pam ces di dy ruthro i'r Royal 'ma? Roeddan ni'n meddwl dy fod di ar farw."

Gwenodd Nicola cyn egluro sut roedd y nyrs yn y clinic wedi dychryn am ei bywyd pan brofodd hi'r sampl dŵr. Roedd lefel y siwgr mor uchel ynddo fo nes roeddan nhw'n meddwl y basa hi'n mynd i goma a marw unrhyw funud. Doedd hi ddim wedi profi lefel mor uchel o siwgr yn neb o'r blaen.

Yna, trodd Nicola ata i gan chwerthin. "Doeddet ti ddim wedi gneud job dda iawn ar grafu gwaelod y pot mêl 'na amser brecwast!"

PENNOD 12

There's nothing you can know that isn't known...
Nowhere you can be that isn't where you're meant to
be...
('All You Need is Love': Y Beatles)

Doedd dim angen i mi fod wedi poeni sut roeddwn i am egluro i Mam pam na ddois i adra o'r ysgol yr un amser ag arfer y diwrnod hwnnw. Roedd hi wedi derbyn copi'r wythnos cynt o'r *Herald Cymraeg* a'r *Cymro* trwy'r post, a dyna lle roedd hi'n pori uwchben y papura ar y bwrdd yn yr ystafell fyw.

Ers i ni symud i Lerpwl, wyth mlynedd ynghynt, byddai Nain Cae'r Delyn yn anfon y papura'n rheolaidd bob wythnos a byddai Mam yn eu darllen yn ofalus o glawr i glawr, sawl gwaith, nes y byddai'r rhifynnau nesa'n cyrraedd. Ond ers i Nain gael strôc, doedd y papura ddim wedi bod yn cyrraedd mor rheolaidd ac mi fyddai 'na wythnosa'n mynd heibio weithiau heb iddyn nhw ddŵad o gwbwl.

Felly, pan gyrhaeddais i adra ar ôl dal bỳs o'r Royal Infirmary gyda Nicola a Mr a Mrs Burns, nath hi ddim sylwi 'mod i'n hwyr, na chwaith nad o'n i'n gwisgo fy nillad ysgol.

103

Ar ôl i mi dynnu fy ngwisg ysgol allan o'r bag a'i hongian ar hangar tu ôl i ddrws y llofft, er mwyn trio cael y rhychau ohoni, mi es i lawr grisia a deud wrth Mam ei bod hi'n amser i ni feddwl am baratoi swpar cyn i Dad ddŵad o'i waith. Ond chymerodd hi ddim sylw ohona i. Dim ond gneud i mi aros tra oedd hi'n darllan rhyw eitemau diflas o'r papur i mi.

Ro'n i'n gwybod nad o'n i ddim haws â thrio rhagor. Felly pan ges i gyfle, mi sleifiais o'r ystafell fyw a mynd i'r gegin i baratoi'r pryd bwyd fy hun.

Ar ôl clirio'r bwrdd a golchi'r llestri, ro'n i wedi ymlâdd. Roedd o wedi bod yn ddiwrnod caled. Roeddwn i wedi cerdded am filltiroedd ar hyd strydoedd Liverpool 8 yn y gwres i chwilio am y clinic, mynd yn yr ambiwlans i'r ysbyty gan boeni fod Nicola yn mynd i farw, ac yna bod yno yn y fan a'r lle wrth iddi hi dorri'r newydd i'w rhieni ei bod hi'n disgwyl. Wedyn, cyrraedd adra a gorfod gneud swpar achos bod Mam yn methu â thynnu'i hun oddi wrth rhyw bapurau newydd. Doedd dim rhyfadd 'mod i wedi blino!

Mwmbliais rywbeth am gymryd bath cyn ei chychwyn hi i fyny'r grisiau ac i'r stafell molchi. Cloais y drws a throi'r tap dŵr poeth. Wrth i'r dŵr lifo'n swnllyd i'r bath, gollyngais ebychiad uchel dros y lle.

Pam roedd yn rhaid i Mam ymddwyn fel hyn? Pam na fedra hi fod yn naturiol fath â phob mam arall? Fath â mam Nicola?

Roedd Mrs Burns wedi bod yn wych ar ôl iddi ddallt bod Nicola'n disgwyl. Er iddi gyfadda ei bod wedi cael siom ac y basa hi wedi licio gweld ei merch yn cael joban dda ar ôl iddi adael ysgol, dywedodd y basa hi a'i gŵr yn gefn i Nicola ac y bydda 'na le i Ricky a'r babi yn eu tŷ nhw nes y caen nhw amser i gael eu cefn atynt.

Tywalltais dipyn o'r *bubble bath* pinc a gefais gan June ar fy mhen-blwydd o dan y tap a gwyliais hwnnw'n cymysgu'n gymylau o swigod gwyn nes gorchuddio wyneb y dŵr. Llanwyd yr ystafell molchi ag ogla rhosod melys. Roedd y *bubble bath* i fod i gael ei gadw at achlysuron arbennig. Wel, rhesymais, roedd o'n achlysur arbennig, achos dim bob dydd roedd rhywun yn cael clywed bod ei ffrind gorau yn mynd i gael babi.

Tynnais fy nillad a chamu i mewn i'r bath.

Gorweddais gan adael i gynhesrwydd y dŵr lifo drosof a dechreuais ymlacio am y tro cynta'r diwrnod hwnnw.

Gan i mi gael fy nal yng nghanol trafferthion Nicola, doeddwn i ddim wedi cael cyfle ers dyddia i feddwl dim am y ffaith ein bod ni'n gadael Lerpwl.

Roedd gen i lai na thair wyrthnos ar ôl cyn y byddai'n bryd i mi adael.

Doedd arna i ddim eisiau meddwl dim mwy am y peth. Felly, llithrais i lawr o dan y dŵr gan adael iddo orchuddio fy wynab.

Cofiais am y llun hwnnw roeddan ni wedi bod yn ei astudio mewn gwers Hanes Celf – llun gan Millais o Ophelia'n boddi. Oeddwn i'n edrych fel Ophelia?

Sut beth fasa boddi fel hyn?

Sut fasa Mam a Dad yn teimlo taswn i'n boddi?

Fasan nhw'n difaru?

Codais ar fy eistedd yn y bath gan anadlu'n drwm. Yna, daeth geiriau diwetha Ger, cyn iddo fo adael ar ôl y ffrae fawr, yn ôl i fy meddwl.

"Sut medrwch chi aros yma a godda yfad eich paneidia a gorwadd yn y bath 'na a chitha'n gwybod bydd eich dŵr chi'n boddi Capal Celyn cyn hir?"

Ar ôl y cyfnod hwnnw yn ystod ein gwyliau Pasg cynta ni yn Lerpwl, prin iawn fu ymweliadau Ger.

Cyn pob gwyliau, mi fydda fo'n gaddo dŵad, yna ar y funud ola, mi fydda fo'n tynnu'n ôl oherwydd gwahanol resymau. Mi fydda fo naill ai wedi cael gwaith yn y ffatri laeth dros y gwyliau neu mi fydda'n rhaid iddo aros yng Nghae'r Delyn i stydio ar gyfer ei arholiadau neu rywbeth o hyd.

Wedyn, yn ystod yr amseroedd prin pan fydda fo'n dŵad draw, mi fydda 'na ryw straen rhyngddo fo a ni.

Mi fydda fo'n trio treulio amser efo fi ond doedd petha ddim yr un fath. Roeddan ni'n dechra mynd yn ddiarth a doedd gynnon ni fawr i'w ddeud wrth ein gilydd.

Yna, pan aeth o i'r coleg yn Aberystwyth, aeth petha'n waeth byth ac mi fydda fo a Dad yn ffraeo byth a hefyd.

Ro'n i wedi trio chwalu'r cof am ei ymweliad diwetha o fy meddwl ar hyd y blynyddoedd achos roedd cofio amdano'n brifo gormod. Ond rŵan, gan ein bod yn mynd i adael Lerpwl, ella y gallwn fforddio gadael i mi fy hun gofio eto a thrio dallt beth yn union ddigwyddodd y noson honno rhwng Dad a Ger.

*   *   *

Gwyliau Dolig oedd hi, ein pedwerydd Dolig ni yn Lerpwl, ac ro'n i'n un ar ddeg oed ar y pryd. Cyrhaeddodd Ger yn ei gar bach, Morris 1000, o Aberystwyth yn ystod y pnawn, diwrnod cyn Dolig.

Roedd popeth yn mynd yn reit dda ar y cychwyn a Dad a Ger yn trio'u gora i beidio cychwyn ffrae.

Roedd Mam wrth ei bodd yn ffysian o gwmpas Ger gan drio'i gora i neud iddo fo deimlo mor gartrefol â phosib.

Yna, mi ddechreuodd petha fynd o'u lle, pan es i â fo i fy llofft er mwyn dangos y dodrefn newydd ro'n i wedi eu cael iddo fo.

"Yli, mae Dad wedi gosod silff lyfra i mi uwchben fy nesg a phob dim, er mwyn i mi gael cadw cyfresi *Secret Seven* a *Famous Five* i gyd efo'i gilydd," meddwn i'n llawn balchder.

"'Sgen ti 'run llyfr Cymraeg ar y silff 'ma," medda fo o'r diwedd ar ôl stydio cloria'r llyfra. "Ti ddim wedi darllan *Luned Bengoch* a *Cwlwm Cêl*?"

"Na, mae llyfra Cymraeg yn *boring* ac yn rhy anodd," meddwn i. "Mae'n well gen i lyfra Enid Blyton – dyna ma fy ffrindia i gyd yn eu darllan, 'sti."

Ddudodd Ger ddim mwy ond troi ar ei sawdl a mynd i lawr y grisia gan fy ngadael i'n sefyll ar ganol llawr y llofft yn meddwl be o'n i 'di neud o'i le.

Yna, dyma fi'n dechra clywed lleisiau Dad a Ger yn codi. Ro'n i'n gallu clywed pob un gair yn glir, er 'mod i yn y llofft.

"Be dach chi 'di neud yn gadael i Beti droi'n Susnas gwrth-Gymreig?"

"Be 'ti'n falu? Mae dy chwaer yn Gymraes lân loyw, siŵr!"

"Cymraes lân, loyw, wir! Ydach chi wedi gweld be mae hi'n 'i ddarllan? Does yna 'run llyfr Cymraeg yn agos i'w llofft hi. Pan 'nes i 'i holi hi, dyma hi'n deud bod llyfra Cymraeg yn rhy ddiflas ac anodd. Mae ei silff lyfra'n llawn llyfra Susnag sy'n llawn sothach imperialaidd!"

"Paid â malu," medda Dad gan ddechra chwerthin. "Dim ond llyfra plant sy 'na. Rhai ohonyn nhw yn hen lyfra oedd gen ti ers pan oeddat ti'n blentyn, dwi'n amau dim."

"Ella wir, ond do'n i'n gwybod fawr gwell 'radag honno. A beth bynnag, ro'n i'n darllen llyfra Cymraeg hefyd."

"Tria di gael llyfra Cymraeg yn Lerpwl 'ma. Tydi hi ddim mor hawdd â hynny, 'sti."

"Yn union. Doedd dim isio i chi dynnu Beti allan o'i chynefin a dŵad â hi i fa'ma i ganol Saeson. Does ganddi hi ddim siawns i fod yn ddim ond Susnas efo dim byd ond Susnag o'i chwmpas hi ym mhob man."

"Mae hi'n cael siarad Cymraeg yn capal bob dydd Sul."

"Ydach chi'n meddwl bod rhyw awr neu ddwy ar ddydd Sul yn ddigon, 'lly? Wrth ei symud hi o Gymru, rydach chi wedi'i hamddifadu hi o gymaint. Mi ddyla fod arnoch chi gwilydd!"

"Paid ti â meiddio 'marnu i am ddŵad i Lerpwl 'ma! 'Sgen ti a dy ffrindia dosbarth canol yn y coleg 'na ddim syniad be 'di caledi. 'Sgen 'run ohonach chi syniad be ydi poeni o ble daw'r geiniog nesa i roi bwyd ar y bwr' i fwydo'ch teulu. Digon hawdd i chi freuddwydio am ryw Gymru rydd. Ond neith breuddwydion felly ddim llenwi stumoga."

Roedd lleisiau'r ddau wedi codi'n uwch erbyn hyn a doedd 'run o'r ddau yn cymryd sylw o Mam pan oedd hi'n trio'u cael nhw i dewi. *be quiet*

"Mi fasa'n well gen i lwgu yng Nghymru na byw yn fa'ma. Ylwch be dach chi 'di neud i Mam – mae hi'n ddynas wedi'i thorri. Ydach chi wedi gofyn iddi hi fasa'n well ganddi hi aros yn fa'ma 'ta mynd adra?"

"Doedd gen i ddim dewis ond dŵad yma. Ti'n gwbod yn iawn nad oedd na ddim gwaith i'w gael adra ers i'r chwaral gau!"

"Naethoch chi ddim trio'n rhy galad i chwilio am waith adra. Ydach chi'n siŵr nad oeddach chi isio dŵad yma er mwyn cael hwyl efo Glyn a'ch Everton a'ch band?"

"Yli di, 'ngwas i, mi fasa hi'n o ddrwg arnat ti taswn i heb gael gwaith. Ti'n meddwl y basan ni wedi gallu fforddio dy gadw di yn 'rysgol tan oeddat ti'n ddeunaw oed? Mi fasat ti wedi gorfod gadael a gneud diwrnod calad o waith am dy gadw yn lle cael amser i chwara hefo dy ffrindia Welsh Nash tua'r coleg 'na!"

"O ia, da iawn rŵan, Dad. Dach chi am edliw fy *reproach* lliwia gwleidyddol i mi rŵan, ydach chi? Sut gallwch chi feiddio gneud hynny a chitha wedi fotio dros blaid Bessie Braddock a'i chriw? Plaid fasa'n fodlon boddi pob ardal Gymraeg er mwyn diwallu anghenion y lle *meet/supply* 'ma. Sut medrwch chi aros yma a godda yfad eich paneidia a gorwadd yn y bath 'na a chitha'n gwybod y bydd eich dŵr chi'n boddi Capal Celyn cyn hir?"

"Os mai fel 'na ti'n teimlo, dos o 'ma cyn i ti yfad diferyn 'ta. Dos i dreulio dy Ddolig hefo dy ffrindia newydd a gad lonydd i ni fyw ein bywyda ni fel rydan ni isio yn Lerpwl 'ma!"

"Na, Gwilym, paid â deud hynna wrth yr hogyn. Geraint, aros, doedd dy dad ddim yn meddwl be ddudodd o. Plis, paid â mynd!"

Yna, dechreuodd Mam feichio crio wrth i Ger redag i'w lofft a lluchio'i betha'n ôl i'w gês cyn cerddad allan trwy'r drws ffrynt ac allan o'n bywydau ni.

Mi fuo hi'n amser anodd iawn yn ein tŷ ni'r Nadolig hwnnw ar ôl i Ger adael. Aeth Mam i'w gwely ac aros yno am ddyddia, gan adael Dad a fi i drio ymdopi ar ein penna'n hunain. Gallwn weld fod Dad dan straen, wrth iddo fo drio cymryd arno fod pob dim yn iawn.

Er i mi gael y chwaraewr recordia roeddwn wedi bod yn ei ddeisyfu ers misoedd, fedrwn inna ddim dathlu fel tasa pob dim yn iawn chwaith.

Arna i roedd y bai fod Ger wedi mynd a bod Mam yn torri'i chalon. Roedd Ger yn iawn pan ddudodd o 'mod i wedi troi'n Susnas. Doedd arna i ddim eisiau bod yn wahanol i fy ffrindia. Ond doedd hi ddim yn deg beio Dad am hynny. Fy newis i oedd o. Fi oedd eisiau bod yn Scowsar, 'run fath â fy ffrindia.

Ychydig ddyddia ar ôl y Dolig, ysgrifennais lythyr at Ger i drio egluro pob dim. Addewais y baswn yn gwneud mwy o ymdrech i ddarllen llyfra Cymraeg –

unrhyw beth i'w gael o'n ôl yn ffrindia hefo ni eto!

Ond ches i ddim ateb.

* * *

Roedd pedair blynedd a hanner wedi mynd heibio ers y Dolig hwnnw a doedden ni ddim wedi derbyn yr un gair gan Ger. Dim hyd yn oed gerdyn pen-blwydd.

Roedd hynny'n dal i frifo.

Rhedais chydig mwy o ddŵr poeth gan fod y bath yn dechrau oeri erbyn hyn. Yna gwagiais lond jwg o ddŵr cynnes dros fy mhen, tollti chydig o shampŵ i gledar fy llaw ac yna dechrau rhwbio 'mhen nes roedd fy ngwallt wedi'i orchuddio â chwmwl o swigod gwyn. Llenwais y jwg unwaith eto ond gyda dŵr oer y tro hwn a'i dywallt o dros fy mhen nes roedd y sebon i gyd wedi llifo lawr fy nghefn a 'ngwynab cyn mynd yn gymysg â dŵr y bath.

Yna codais a lapio fy hun mewn tywel cyn newid i fy nillad nos a mynd i lawr grisia i sychu 'ngwallt o flaen y tân.

PENNOD 13

And it really doesn't matter if I'm wrong...
Where I belong I'm right
Where I belong...
('Fixing a Hole': Y Beatles)

Wrth ddŵad adra o'r ysgol y diwrnod wedyn, penderfynais alw yn y siop bapur i ddweud wrth Mr Johnson ein bod yn gadael ac y byddai'n rhaid i mi roi'r gorau i weithio yno ar fore Sadyrnau.

Rwy'n cofio fel yr aeth Mam a fi i'r siop y tro cynta a'r croeso a gawson ni pan sylweddolodd Mr Johnson ein bod yn Gymry. Un o ardal Dolgellau oedd ei wraig ac roedd clywed acen Mam a fi'n dŵad ag atgofion hapus yn ôl iddo fo, medda fo.

Yna pan ddeallodd mai Megan oedd enw Mam, gwirionodd fwy fyth, gan mai dyna oedd enw ei wraig hefyd. Bob tro ar ôl hynny, cafodd Mam a fi groeso pan oeddan ni'n mynd draw i'r siop.

"Hello, my dear. What brings you here today?" gofynnodd wrth i mi agor y drws y prynhawn Mawrth hwnnw ar fy ffordd o'r ysgol.

Eglurais ein bod yn mynd i symud yn ôl i Gymru ac

na fyddwn yn gallu gweithio iddo ar ôl y bore Sadwrn wedyn.

Ysgydwodd ei ben cyn dweud y basai'n colli clywed fy acen Gymraeg o gwmpas y lle.

Gwyddwn mai malu awyr oedd o wrth ddeud hyn, gan 'y mod i'n siarad fath ag unrhyw Sgowsar ar ôl bod yn Lerpwl am wyth mlynedd.

Ond gwyddwn hefyd ei fod yn hollol ddiffuant pan ddudodd o 'i fod o'n falch dros Mam ein bod yn gadael gan ei fod o'n gwybod bod hiraeth am Gymru'n ei llethu.

"It was the same with my Megan," medda fo. *"She missed her home country so much. Although I tried to make her feel at home here in Liverpool, her heart was always back in Wales."*

Erbyn hyn, roedd dagrau wedi dechra cronni yn ei lygaid wrth iddo gyfadda ei fod wedi difaru na wnaeth o ymdrech i werthu'r siop a mynd i fyw i Gymru tra oedd ei wraig yn fyw.

"I didn't realize until it was too late for my Megan," meddai. *"But it's not too late for your dear mother to get a grip on her life once again. She, like my Megan, is a fragile Welsh flower that can only thrive in their native soil."*

Do'n i ddim wedi clywed Mr Johnson yn siarad fel hyn o'r blaen. Fel rheol, dyn tawel oedd o, yn cadw ei feddyliau iddo fo'i hun. Do'n i ddim yn gwybod chwaith ei fod wedi sylwi ar gyflwr Mam. Fel pe bai newydd sylwi ei fod wedi dweud gormod, dyma fo'n tagu i guddio'i embaras cyn gofyn oeddwn i angen bocsys i bacio. Yna diflannodd i gefn y siop i nôl rhai i mi.

Ar ôl te'r noson honno, mi es i'r llofft i gychwyn pacio 'mhetha.

Llenwais un bocs gyda'r llyfrau oddi ar y silff lyfrau. Roedd llyfrau Enid Blyton wedi hen fynd erbyn hyn ac yn eu lle roedd ambell lyfr ysgol, pentwr o albyms, pentwr mwy o recordiau sengl a phentyrrau anferth o lyfrau a chylchgronau am y Beatles

Ond dim un llyfr Cymraeg!

Er i mi addo i Ger y baswn i'n darllen llyfrau Cymraeg, nath o ddim trafferthu ateb fy llythyr. Felly, pam dyliwn i? Ond roedd ei hen gyhuddiad yn dal i 'mhoeni bob hyn a hyn.

Oedd Ger yn iawn? Oeddwn i wedi troi'n Susnas? Be oeddwn i, Cymraes 'ta Susnas?

Ers blynyddoedd, roeddwn fel taswn i'n ddau berson. Roedd gen i ddwy iaith, dau ddiwylliant a hyd yn oed ddau enw.

Yn y tŷ efo Mam a Dad ac yn y capal ar ddydd Sul, Beti Hughes y Gymraes oeddwn i. Elizabeth neu Liz oeddwn i ym mhob man arall. Hogan o Lerpwl.

Er mwyn gallu ffitio i mewn, bu'n rhaid i mi ddysgu siarad a meddwl 'run fath â fy ffrindia a chuddiad y ffaith 'mod i'n Gymraes. Dim ond rhai o fy ffrindia gora fel Nicola oedd yn ymwybodol 'mod i'n siarad iaith wahanol adra. I bawb arall, Liz o Lerpwl oeddwn i.

Roeddwn i wedi dod i ddeall ei bod hi'n dderbyniol i mi berthyn i Lerpwl yng ngolwg Dad ond doedd hi ddim yn dderbyniol o gwbwl i mi feddwl amdana i fy hun fel Susnas. Cofiais ei ymateb pan enillodd tîm pêl-droed Lloegr Gwpan y Byd.

* * *

Pnawn Sadwrn braf yn niwedd Gorffennaf, bron i flwyddyn yn ôl, oedd hi, pan 'nes i alw heibio i weld oedd Nicola isio dal y bỳs i ganol y dre.

"Am not go'n anywhuz this avvy," meddai Nicola. *"'aven't yous 'eard dat de final's on? Ay bet yous iddle be dead laich down town 'chos everywun wul be 'ome watch'n de fewtee on telly."*

Mae'n siŵr iddi sylwi ar y siom ar fy wynab i, achos wrth i mi droi o'r drws, galwodd fi'n ôl a chynnig i mi ddod i mewn i wylio'r gêm.

Gan nad oedd gen i awydd mynd i'r dre ar fy mhen fy hun nac awydd chwaith i dreulio pnawn diflas adra, cytunais.

Roedd parlwr ffrynt Nicola yn orlawn o bobl. Pawb wedi stwffio naill ar gadeiriau neu ar y soffas. Mr a Mrs Burns, dau frawd mawr Nicola, Kevin a Danny, ei Hyncl Albert ac Anti Florie o Fazakerley, Anti Emma "Posh" o Aigburth Vale, un o gyd-weithwyr Mr Burns o'r dociau a'r hen Mr Burns, taid Nicola, yn ei gadair arferol yn y gornel.

Mewn cornel arall roedd y telifision wedi'i gosod yn ofalus ar ben bwrdd uchel fel y gallai pawb weld y sgrin fach sgwâr.

Roedd yr awyr yn drwm o fwg sigaréts a gyrlai'n gwmwl o flaen y sgrin gan neud i bopeth edrych fel golygfa allan o ryw stori hud a lledrith.

Ar lawr ym mhobman roedd platia efo crystia wedi hanner eu cnoi, mygiau te gwag a photeli cwrw.

"*Aritte Liz, luv, cum in. Find somewhuz ter put yer bum down.*"

Edrychais am le i eistedd ond roedd pob cadair a soffa yn gwegian yn barod, felly dyma eistedd ar lawr yng nghanol y llanast.

"*Would yous like a butty?*" gofynnodd Nicola wrth wthio pentwr o blatiau budur o'r ffordd er mwyn iddi gael lle i eistedd wrth fy ochr ar lawr.

"*No, thank you, I've just had dinner before coming here.*"

Y gwir amdani oedd nad oeddwn i ddim wedi cael tamaid ers gwneud rhyw fath o frecwast i mi fy hun y bore hwnnw. Roedd Mam yng nghanol un o'i phylia drwg.

Cyn hir, dechreuodd y gêm. Er nad oedd gen i fawr o ddiddordeb ar y dechra, cefais hwyl yn gwylio ymateb pawb o 'nghwmpas yn gweiddi a sgrechian ar y chwaraewyr neu ar y reffarî. Ond pan aeth y gêm i amser ychwanegol, ro'n inna wedi colli arna fy hun, hefyd ac yn gweiddi lawn cymaint â neb.

Fel roedd yr amser ychwanegol yn dirwyn i ben, rhedodd rhai o gefnogwyr Lloegr ar y cae. "*They think it's all over,*" meddai'r gohebydd, Kenneth Wolstenholme. Yna, "*It is now!*" ychwanegodd wrth i Geoff Hurst sgorio'i drydedd gôl i'w gwneud hi'n bedwar i ddwy.

"'Dan ni wedi ennill! 'Dan ni wedi ennill y World Cup!"

Aeth parlwr ffrynt y Burns yn ferw gwyllt. Pawb yn neidio fyny ac i lawr ac yn cofleidio'i gilydd. Doeddwn i rioed wedi gweld y fath beth. Roedd hyd yn oed taid Nicola, a arferai eistedd mor dawel yn y gornel, wedi codi ar ei draed ac yn gweiddi nerth esgyrn ei ben, *"We've beatun de bloody Germens again!"*

Llifodd y cwrw. Yna mynnodd Mrs Burns 'mod i a Nicola yn cael potel fach o Babycham yr un i ddathlu. Mi driais i wrthod ond doedd hi ddim am gymryd 'na'.

"Come 'ead, Liz, luv, bevvy up! It's not every dee dat we win de friggin Wirld Cup!"

Do'n i rioed wedi blasu diod alcohol o'r blaen. Ond fedrwn i ddim pechu pawb drwy wrthod.

Roedd swigod mân y Babycham yn pigo fy wynab wrth ffrwydro allan o'r botel. Caeais fy llygaid cyn cymryd sip bach a synnais wrth sylweddoli fod y diod yn felys. Ymhen dim o dro, roedd y botel yn wag. A chyn hir roeddwn innau'n dawnsio ar hyd y lle gan weiddi canu, *"We've won the cup!"* cyn uched ag unrhyw un o'r Saeson a oedd yn y stafell.

Llifodd pawb allan o'r tŷ ac i'r stryd lle roedd pawb arall yn dathlu'r fuddugoliaeth hefyd.

Roedd rhywun wedi gosod bwrdd hir ar y pafin ac wedi'i orchuddio ag Union Jack. Gosododd rhywun arall hen gramaffôn ar y bwrdd a dyna lle roedd pawb yn canu a dawnsio ar y stryd i gyfeiliant 'There always be an England'.

Cyn hir, roedd pawb wedi cario byrddau eraill o'u tai ac wedi'u llwytho gyda brechdana, cacenna a diodydd o bob math.

Doeddwn i rioed wedi gweld parti fel hwn o'r blaen, lle roedd pawb o bob oed yn mwynhau eu hunain fel hyn. Dawnsiai mam a thad Nicola a'i Hyncl Albert ac Anti Florie o Fazakerley gyda llwyth o bobl eraill, mewn cadwyn hir yng nghanol y stryd. Anghofiodd yr Anti Emma "Posh" o Aigburth Vale fod yn *posh* am unwaith a dyna lle roedd hi'n gweiddi canu 'The White Cliffs of Dover' dros y lle.

Gafaelodd rhywun am fy nghanol a 'nhynnu i mewn i'r gadwyn a oedd yn cordeddu fel neidar hir i lawr y stryd.

Daeth teimlad braf o berthyn drosof. Ro'n i wedi cael fy nerbyn yn un ohonyn nhw ac roedd eu buddugoliaeth nhw yn fuddugoliaeth i minna hefyd.

Pan gyrhaeddais adra'n hwyrach y pnawn hwnnw, ro'n i ar dân eisiau rhannu 'mhrofiada gyda Dad. Mi fydda fo'n siŵr o ddallt mor hapus ro'n i'n teimlo am ein bod ni wedi ennill Cwpan y Byd.

Ond mi ges i goblyn o siom a phryd o dafod go hallt hefyd.

"Taw, nei di!" medda fo'n reit sych. "Tydan *ni* ddim wedi ennill dim byd. Doedd Cymru ddim yn y gystadleuaeth hyd yn oed. Lloegr nath ennill a buddugoliaeth i'r Saeson ydi hi. Chlywan ni mo'i diwedd hi rŵan, mae'n siŵr!"

"Ond rydach chi'n cefnogi Everton ac yn gwirioni'n lân pan maen nhw'n ennill. Tîm o Loegr ydyn nhw hefyd. Felly be sy o'i le i mi ddathlu fod Lloegr wedi ennill Cwpan y Byd?"

"Paid â siarad yn wirion, hogan," medda fo wedyn.

"Clwb ydi Everton, dim tîm cenedlaethol. Tydi o ddim yr un peth o gwbwl, siŵr!"

Ond doeddwn i ddim yn gweld y gwahaniaeth. Felly, trois ar fy sawdl a mynd i fy llofft i bwdu.

* * *

Bron i flwyddyn yn ddiweddarach, ro'n i'n dal yn y niwl.

Ond doedd dim amser i boeni am betha fel 'na bellach. Roedd gen i lond llofft o betha i'w pacio.

PENNOD 14

It was twenty years ago today,
Sgt Pepper taught the band to play...
('Sgt Pepper's Lonely Hearts Club Band': Y Beatles)

Aeth y pythefnos nesa heibio fel y gwynt. Rhwng ffarwelio â fy ffrindia a rhoi gwybod i'r athrawon yn yr ysgol 'mod i'n 'madael, ceisio gorffen pob gwaith cartref cyn diwedd y tymor a phoeni am Nicola, roedd hi'n ein nos Fercher ola ni yn Lerpwl cyn i mi droi rownd. Ymhen tridia, mi fyddwn i'n symud 'nôl i Gymru.

Roeddwn wedi dŵad i dderbyn y peth erbyn hyn ac yn dechrau gweld manteision symud. Wedi'r cwbwl, fyddai Nicola ddim yn dychwelyd i'r ysgol ar ôl yr haf a fyddai'r lle ddim yr un fath hebddi hi.

Fel y deuai'r amser i ni symud yn nes, roedd hwylia Mam yn gwella hefyd. Doedd hi ddim wedi dangos unrhyw symptom o'i hen bylia ers rhai dyddia ac mi fyddai'n paratoi swper ardderchog i Dad a fi bob nos.

Ond er cystal y bwyd, roedd Dad yn anarferol o ddistaw y nos Fercher olaf honno. Roedd yn amlwg ei fod dan deimlad gan ei fod wedi gorffen ei waith yn

Cammell Laird's am byth y diwrnod hwnnw. Ond yn waeth na gorfod gadael ei waith, roedd Dad hefyd wedi gorfod ffarwelio â'r band a olygai gymaint iddo.

Ers i ni gyrraedd i Lerpwl wyth mlynedd ynghynt, roedd y band wedi chwarae rhan bwysig yn ei fywyd. Ac mi glywis i o'n deud sawl gwaith na fasa fo nac Yncl Glyn wedi cael gwaith yn Birkenhead o gwbwl heblaw am y band.

Ar ôl i'r chwaral gau bu'n rhaid i'r rhan fwya o ddynion y 'Rhendra fynd ar y dôl ac roedd hi'n anodd iawn dod o hyd i waith arall. Felly, pan ddarllenodd Yncl Glyn yr hanes yn y *Daily Post* ynglŷn â sut roedd band newydd wedi cael ei ffurfio yn iard longa Cammell Laird's yn Birkenhead a'u bod nhw'n chwilio am weithwyr a allai chwarae offerynna pres, perswadiodd Dad i fynd efo fo i drio'i lwc, gan fod y ddau wedi arfer chwarae ym mand y 'Rhendra.

Er nad oedd Dad wedi cyffwrdd mewn trombôn ers iddo briodi, mi gafodd o ac Yncl Glyn wybod yn syth fod 'na waith iddyn nhw yno.

Tua hanner blwyddyn ar ôl i'r ddau ddechra efo'r band, fe ddaethon nhw'n gynta drwy Brydain mewn cystadleuaeth i fandia yn y bedwaredd adran. Yna, ymhen dwy flynedd arall roedden nhw wedi ennill eto, yn yr ail adran y tro yma. Ar ôl hynny, doedd dim stop arnyn nhw ac mi fyddan nhw'n chwarae mewn cyngherdda neu yn gorymdeithio yn rhywle o hyd.

Un noson yn 1964, daeth Dad adra o'r band a'i wynt yn ei ddwrn. Roedd o'n methu aros i rannu'r newyddion efo Mam a fi eu bod nhw drwadd i'r ffeinals i fandiau gorau Prydain ac y byddai'r gystadleuaeth yn cael ei chynnal yn Llundan.

"Maen nhw'n trefnu bỳs er mwyn i gefnogwyr y band ddŵad efo ni i Lundan," medda Dad. "Mi faswn i wrth fy modd tasach chi'ch dwy yn dŵad i roi cefnogaeth i ni."

Ro'n i ar ben fy nigon a dechreuais neidio i fyny ac i lawr gan 'mod i wedi cynhyrfu'n lân. Do'n i rioed wedi bod yn Llundan ac mi fydda hwn yn gyfla gwych.

Ond fe dynnodd Mam y gwynt o fy hwylia'n reit sydyn, pan wrthododd hi hyd yn oed ystyried y peth.

"Ond, Megan, mi fasa fo'n gneud lles i ti gael dŵad allan o'r tŷ 'ma am unwaith a chymysgu dipyn hefo gwragadd yr hogia eraill. Mi fydd Rosie, gwraig Glyn, yn siŵr o fod ar y trip. Felly dydi o ddim fel nad wyt ti'n mynd i nabod neb."

Ond doedd dim yn tycio ac roedd Mam yn berffaith siŵr nad oedd hi am fynd ar gyfyl Llundan.

Un eiliad ro'n i ar ben fy nigon. Yna'r eiliad nesa, roedd Mam wedi difetha pob dim. Rhedais i fyny'r grisia a lluchio fy hun ar fy ngwely.

Pam na fedra Mam fod fath â phawb arall am unwaith?

Ro'n i'n gwybod nad oedd ganddi ddim help am sut roedd hi'n ymddwyn, achos roedd Dad wedi trio egluro i mi rai misoedd ynghynt ei bod hi'n sâl. Ond, ew, roedd isio mynadd weithia!

"Beti! Tyd lawr am funud, mae Mam a fi isio trafod rhywbath hefo chdi!" galwodd Dad arna i ymhen sbel o waelod grisia.

"Be rŵan 'to?" meddwn i gan chwythu 'nhrwyn a

sychu 'nagra cyn mynd lawr.

Ond roedd gwên fawr ar wyneb Dad pan es i mewn i'r gegin.

"Yli, mae dy fam a fi wedi bod yn siarad. Does 'na ddim byd yn dy rwystro di rhag dŵad ar y trip i Lundan. Dwi'n siŵr y basa Rosie'n falch o gael dy gwmpeini tra bydd Glyn a fi wrthi hefo'r band."

Trawais gip sydyn i gyfeiriad Mam i weld beth oedd ei hymateb hi i hyn. Ond roedd hi'n nodio'i phen ac yn edrach yn ddigon bodlon.

"Fyddwch chi'n iawn yn fa'ma ar eich pen eich hun, Mam?"

"Wel byddaf siŵr. Be ti'n feddwl dwi'n neud bob diwrnod pan mae dy dad yn ei waith a chdi yn 'rysgol?"

Pan glywis ymateb Mam, daeth rhyw hen deimlad euog drosta i am feddwl petha mor gas amdani yn y llofft 'chydig funudau ynghynt. Felly, dyma fi'n mynd ati a rhoi 'mreichiau o'i chwmpas a'i gwasgu'n dynn.

"Diolch, Mam."

* * *

Ar ôl misoedd hir o aros, daeth diwrnod y gystadleuaeth o'r diwedd. Roedd yn rhaid i Dad a fi godi yn oriau mân y bore er mwyn bod yn barod erbyn y byddai Yncl Glyn ac Anti Rosie'n galw amdanom i fynd i gwfwr y bỳs.

Cariai Dad ei iwnifform grand yn ofalus dros un fraich a'i gês trombôn yn y llaw arall. Er nad oedd Mam isio dim i'w wneud â'r trip, roedd hi wedi gofalu smwddio'r iwnifform a pholisho'r trombôn nes ei fod o'n sgleinio fel swllt.

Roedd y daith yn y bỳs i Lundan yn hir ac fe wnaethon ni stopio ar y draffordd yn rhywle i gael brecwast. Gyda Anti Rosie ro'n i'n eistedd a honno'n edrych ymlaen lawn gymaint â finna i gael cyrraedd.

Roedd gweld Dad yn mwynhau ei hun ar y bỳs yng nghanol ei ffrindiau yn agoriad llygad i mi. Doeddwn i rioed wedi meddwl ei fod o mor boblogaidd y tu allan i'r tŷ. Ond wrth glywed y dynion eraill i gyd yn cystadlu am ei sylw, daeth rhyw deimlad o falchder drosof. Mi ges inna lawer iawn o sylw hefyd pan ddeallodd dynion y band a'u teuluoedd mai merch Gwilym oeddwn i.

Pan gyrhaeddodd y bỳs Lundan aeth aelodau'r band ar eu hunion i weld beth oedd trefniadau'r gystadleuaeth ac i ymarfer, gan adael y cefnogwyr ag amser rhydd i wneud beth a fynnent am rai oriau.

"Mae gen i ffansi mynd o gwmpas y siopa," medda Anti Rosie, "i weld be 'di'r ffasiwn diweddara'r hydref 'ma. Mae siopa Lerpwl gymaint ar ei hôl hi o'i gymharu â fa'ma."

Ro'n i'n methu dallt beth oedd y gwahaniaeth rhwng siopa mawr Lerpwl a rhai Llundan ond 'nes i ddim deud dim byd rhag ofn i mi bechu Anti Rosie. Mi fasa'n well gen i fod wedi mynd i weld rhai o olygfeydd enwog y lle. Ro'n i' di edrach ymlaen i weld Big Ben, Trafalgar Square a phalas y Cwîn.

Ond pan gyrhaeddon ni siop fawr Harrods, ro'n i'n falch iawn nad o'n i ddim wedi cwyno, gan nad o'n i rioed wedi gweld siop fel honno o'r blaen.

Ar ôl prynu llond lle o ddillad newydd iddi hi ei hun

yn un o siopa Oxford Street, dyma Anti Rosie'n mynd â fi i adran y bobl ifanc. Doeddwn i erioed wedi cael dillad o adran fel 'na o'r blaen. Er 'mod i'n ddeuddag oed, dillad o adran y plant fyddwn i'n eu cael bob amser.

"Tyd," medda Anti Rosie. "Mae'n rhaid i ni gael rhywbeth ffasiynol iti ar gyfer heno 'ma. Tria rhain," medda hi, gan ddal ffrog goch, ffasiynol a chôt i fatsio i mi."

"Ond, 'sgen i ddim digon o br..."

"Paid â phoeni am bres, fy nhrît bach i 'di hwn," meddai. "'Sgen i ddim merch fy hun, fel ti'n gwybod, felly dwi wrth fy modd yn cael dy fenthyg di am y pnawn a chael cyfla i brynu petha neis i ti."

Cyn y gallwn ymateb, roedd Anti Rosie wedi fy halio tuag at yr ystafell newid.

"Rwyt ti'n edrach yn *gorgeous*," medda hi ar ôl i mi wisgo'r dillad. Ac mae'n rhaid i mi gyfadda 'mod inna wedi cael dipyn o sypréis wrth weld y ferch ifanc 'ma'n edrach 'nôl arna i pan edrychais yn y drych.

Ar ôl prynu'r ffrog a'r gôt i mi, mynnodd Anti Rosie 'mod i'n cael pâr o neilons a *suspender belt* i'w dal nhw i fyny, sgidia *baby heels* coch a handbag i fatsio.

Pan gyrhaeddodd y ddwy ohonon ni'r Albert Hall, ro'n i'n teimlo'n hynod o falch ohona fy hun yn fy nillad newydd. Roedd seti wedi'u cadw i ni gyda gweddill cefnogwyr y band mewn rhes uchel i fyny yn agos i do'r neuadd grand.

Roedd 'na ddau ddeg pedwar o fandiau yn y gystadleuaeth a band Cammell Laird's fydda'r ola un i chwarae. Ro'n i 'di hen 'laru ers meitin gwrando ar y darn prawf yn cael ei chwarae gan un band ar ôl y llall. Roedd o wedi bod yn ddiwrnod hir ac er holl sŵn y bandiau pres, mi syrthiais i gysgu.

Deffrais yn sydyn pan bwniodd Anti Rosie fi yn fy mraich.

"Dyma nhw'r hogia'n dŵad 'mlaen," medda hi. "Yli smart ydi Glyn a dy dad yn eu hiwnifforms. Maen nhw'n werth eu gweld."

Plygais ymlaen yn fy sêt i edrych ar y band ar y llwyfan i lawr ymhell oddi tanom. Er 'mod i wedi blino clywed y darn prawf yn cael ei chwarae dro ar ôl tro gan y bandiau eraill, pan glywis i fand Dad yn ei chwarae, roedd o fel ei gl'wad am y tro cynta. Ro'n i mor falch ohonyn nhw.

Roedd Dad a gweddill y band yn hapus iawn eu bod wedi dŵad yn bedwerydd yn y gystadleuaeth ond ro'n i'n teimlo eu bod nhw wedi cael coblyn o gam gan y beirniaid di-ddallt. Yn fy marn i, roeddan nhw'n llawer gwell na'r bandiau eraill i gyd efo'i gilydd. Ro'n i'n gwybod hynny er 'mod i wedi cysgu trwy ran fwya o'r gystadleuaeth!

Er ei bod hi'n hwyr iawn arnon ni'n cyrraedd yn ôl yn Lerpwl y noson honno, roedd Mam ar ei thraed yn aros amdanon ni.

Ro'n i a Dad yn ysu am gael deud yr hanesion i gyd wrthi. Ond cyn i ni gael deud gair, dyma hi'n edrach arna i a gofyn lle ar y ddaear roeddwn i wedi cael dillad mor goman.

"Rŵan, Megan, paid â bod mor gas hefo'r hogan," medda Dad. "Rosie brynodd nhw iddi hi, chwarae teg iddi hi."

"Ro'n i'n gwybod nad oedd y jolpan Rosie 'na ddim ffit i edrach ar ôl yr hogan 'ma yn Llundan. Ddyliwn i byth fod wedi cytuno i'r fath beth," medda hi cyn ei throi hi am ei gwely heb hyd yn oed holi am y band.

Pan ddois i adra o'r ysgol diwrnod wedyn, doedd dim golwg o'r dillad newydd na'r *suspender belt* na'r sgidia *baby heels* coch. A welis i 'mohonyn nhw byth wedyn.

Bob hydref ar ôl hynny, mi oedd y band yn mynd am yr Albert Hall i drio ennill y gystadleuaeth i fod yn bencampwyr Prydain yn y dosbarth cynta. Ond er iddyn nhw ddŵad yn agos sawl tro, chipion nhw mo'r wobr honno.

"Rydan ni'n siŵr o'i chipio hi flwyddyn nesa, tydan, Glyn?" fyddai ymateb Dad bob tro. "Gyda lwc mi fydd 'na feirniad sy'n dallt ei betha yna tro nesa."

Ond rŵan, doedd 'na ddim tro nesa yn mynd i fod iddo fo. Roedd gadael y band yn siŵr o fod yn ergyd galad i Dad.

Wrth ei weld yn anarferol o ddistaw wrth y bwrdd bwyd y noson honno, dyma fi'n mentro gofyn iddo, oedd o am ailymuno â Band y 'Rhendra ar ôl i ni fynd 'nôl.

Ond ysgwyd ei ben nath o a deud nad oedd hynny'n debygol, cyn ymosod ar y goes cyw iâr roedd Mam wedi'i rhoi ar ei blât.

PENNOD 15

I can't believe it's happened to me
I can't concieve of any more misery...
('Ask Me Why': Y Beatles)

Pan gyrhaeddais adra o'r ysgol y diwrnod canlynol, synnais weld Dad yn eistedd wrth fwrdd y gegin a'i ben yn ei ddwylo.

"Be sy?"

Nath o ddim ateb. Yna dyma fo'n codi ei ben ac edrych arna i. Roedd ei lygad o'n goch fath â'i fod o wedi bod yn crio. Doeddwn i erioed wedi gweld Dad fel hyn o'r blaen.

"Dad?"

Rhoddodd ochenaid drom, cyn pwyntio at y bocs sgidia oedd ar y bwrdd o'i flaen.

"Yli be 'nes i ffendio yng ngwaelod cwpwrdd dillad dy fam wrth bacio pnawn 'ma."

"Be 'di o?"

"Agora fo iti gael gweld drosat dy hun."

Doeddwn i ddim yn siŵr oeddwn i isio agor y caead achos roedd hi'n amlwg fod beth bynnag oedd yn y bocs wedi cael effaith ofnadwy ar Dad.

"Agor o, 'mechan i," medda fo wedyn. "Mae'n iawn i ti gael gweld be sy ynddo fo. Wedi'r cwbwl, mae hi wedi bod yn dy dwyllo di ar hyd y blynyddoedd hefyd."

Tynnais y caead yn araf gan hanner disgwyl gweld rhywbeth yn neidio allan.

Ond y cwbwl oedd yn y bocs oedd toman o amlenni.

Teimlais fy nghalon yn colli trawiad pan welais y llawysgrifen oedd ar yr amlen ucha.

"Llythyr i Mam oddi wrth Ger?"

"Llond bocs o lythyra oddi wrth dy frawd ac ambell gardyn pen-blwydd i ti hefyd."

Tynnais y pentwr llythyrau o'r bocs a'u taenu dros y bwrdd. Roedd Dad yn iawn – roedd llawysgrifen Ger ar bob un o'r amlenni.

Gwelais amlen gyda fy enw i arni. Gyda dwylo crynedig, agorais yr amlen a thynnu cerdyn pen-blwydd allan. Agorais y cerdyn a darllen neges Ger:

I Beti, fy chwaer fach sydd yn bymtheg oed heddiw,
Llawer o gariad,
Ger xxx

Dim ond dau fis ynghynt oedd fy mhen-blwydd. Roedd Ger wedi anfon y cerdyn yma ata i mor ddiweddar â hynny!

"Pam na nath hi ddim deud, Dad?"

Ysgydwodd Dad ei ben cyn gafael yn dynn amdanaf. "Mae dy fam yn ddynes sâl iawn a does dim dichon i ni drio dallt be sy'n mynd drwy'i meddwl hi."

"Ond sâl neu beidio, sut gallodd hi gadw hyn i gyd oddi wrthach chi a fi? Doedd ganddi ddim hawl i neud y fath beth!"

"Na, dwi'n gwybod. Ro'n i'n gandryll pan ddois i o hyd i'r bocs 'ma hefyd ac mi fuo'n rhaid i mi ddal fy hun yn ôl rhag ofn i mi daro dy fam. Felly, a finna'n dal yn fy ngwylltineb, mi ddois i i'r gegin 'ma a lluchio'r hen wya Cae'r Delyn 'na sydd wedi bod yn eistedd yn y bowlen ar silff ffenast, i'r bin."

"Naethoch chi ddim!"

"Do, ar fy ngwir i ti. Drycha, mae'r bowlen yn wag!"

"Be ddudodd Mam?"

"Dim byd, ond troi ar ei sawdl a mynd i'r llofft. Yno mae hi o hyd!"

"Wel, peidiwch â phoeni am y peth, Dad. Mi geith hi hen ddigon o wya Cae'r Delyn o ddydd Sadwrn ymlaen."

"Ceith, dwi'n gwybod. Ond mi 'nes i ddychryn fy hun pan sylwais mor wyllt y galla i fod. Mae fy nhempar i wedi achosi digon o helynt yn y tŷ 'ma'n cyn hyn. Ond, cofia di, ar ôl cael cyfle i ddarllan amryw o'r llythyra pnawn 'ma, dwi wedi sylweddoli fod baich mawr wedi'i dynnu oddi ar fy sgwydda i. Dwi 'di treulio blynyddoedd yn beio fy hun am fod yn gyfrifol am yrru dy frawd i ffwrdd y Dolig hwnnw. Dwi 'di poeni gymaint am be ddaeth ohono fo. Oedd o'n iawn? Oedd ganddo fo ddigon o bres i gadw'i hun yn y coleg? Nath o orffen ei gwrs gradd? Ond, yn waeth na dim, dwi 'di poeni am yr effaith gafodd yr holl helynt ar dy fam. Ro'n i'n siŵr ei bod hitha'n poeni'n ofnadwy am Geraint hefyd, 'sti, ac mai hynny oedd wedi achosi'r dryswch ynddi hi. Ond fel y gweli di, pan ddarlleni di'r llythyra 'ma, mae Ger yn iawn. Ella na neith o na fi byth gyd-weld ar betha, ond tydi o'n dal dim dig yn dy erbyn di na dy fam. Yli, darllena'r llythyr cynta 'ma."

Eisteddais wrth y bwrdd ac estynnais am y llythyr a ysgrifennodd Ger lai na thair wythnos ar ôl y ffrae fawr.

Aberystwyth
12fed Ionawr 1963

Annwyl Mam,

Gair byr i roi gwybod i chi fy mod yn iawn ac nad oes angen i chi boeni amdanaf. Dychwelais i Aberystwyth noswyl Nadolig a chyrhaeddais fy fflat erbyn hanner awr wedi deg.

Erbyn hyn, 'rwyf wedi cael amser i feddwl llawer am beth ddigwyddodd rhwng Dad a fi. Cafodd pethau cas eu dweud o'r ddwy ochr. Ond nid wyf yn barod i ymddiheuro am fy rhan i; wnaiff fy egwyddorion ddim caniatáu i mi wneud hynny.

Mae'r ffaith fod fy nheulu yn byw yn Lerpwl yn dân ar fy nghroen; yr union ddinas sydd wedi peri cymaint o loes i Gymru'n ddiweddar. Ni allaf faddau i Dad am eich dadwreiddio chi a Beti. Mae gweld yr effaith ar y ddwy ohonoch yn ddigon i dorri calon dyn. Pam na wnewch

*chi sefyll i fyny, Mam, a mynnu eich bod yn dychwelyd
i Gymru cyn i chi golli eich iechyd a chyn i Beti golli ei
hunaniaeth yn gyfan gwbwl?*

*Mae'r iaith a'n ffordd o fyw o dan fygythiad ac mae'n
rhaid i ni weithredu ar fyrder, neu mi fydd hi'n rhy
hwyr.*

Cofion,

Geraint

*O.N. Dwedwch wrth Beti fy mod i'n diolchgar iawn
am y llythyr a anfonodd ataf yn syth ar ôl y Nadolig. Mi
ysgrifennaf ati'n fuan ac anfon llyfr Cymraeg iddi.*

Plygais y llythyr a'i roi'n ôl yn yr amlen cyn estyn am
y nesa.

Roedd ei ail lythyr, a anfonodd ym mis Chwefror, yn
un rhyfedd ar y naw. Roedd o'n llawn o ryw stori am
sut roedd o a'i ffrindiau wedi eistedd i lawr ar ganol
rhyw bont yn Aberystwyth, er mwyn stopio'r traffig.
Roeddan nhw wedi gneud hynny am fod 'na ddyn o'r
enw Saunders Lewis wedi gwneud argraff fawr arnyn
nhw gyda'i ddarlith radio, neu rywbeth, flwyddyn
ynghynt, medda fo.

Roedd llawer o lythyrau Ger yn llawn o hanesion
rhyw brotestiadau a phethau nad oeddwn i'n dallt yn
iawn am beth roedd o'n sôn. Ond, mi fydda fo'n gorffen
pob un wrth ddeud gymaint roedd o'n ein colli ni a'i
fod yn dal i feddwl y byd o Mam, Dad a fi.

Mae'n rhaid fy mod wedi bod yn eistedd am oriau
wrth fwrdd y gegin yn darllen holl lythyrau Geraint.
Roedd 'na dros ddau ddwsin ohonyn nhw i gyd, yn

132

ogystal â chardiau pen-blwydd i bob un ohonon ni a chardiau Dolig. Ger druan, be oedd o'n ei feddwl ohona i ddim yn ateb? Oedd o'n meddwl 'mod i a Dad yn dal yn ddig wrtho fo?

Rhoddais yr amlen ola yn ôl yn y bocs sgidia.

"Sut galla Mam gadw'r rhain i gyd oddi wrthach chi a fi yn ystod yr holl amsar 'ma, Dad? Dwi ddim ym meddwl y galla i byth fadda iddi hi."

Edrychodd Dad i fyw fy llygaid cyn deud, "Mae'n rhaid i ti fadda iddi hi. Mae'r teulu 'ma wedi'i rannu yn llawar rhy hir fel mae hi. Gwell i ni roi'r holl beth tu ôl i ni a dechra o'r newydd pan fyddwn ni wedi cyrraedd Cae'r Delyn. Gei di weld, fe ddaw dy fam yn ôl ati ei hun ar ôl mynd adra."

Ro'n i'n gwybod fod Dad yn iawn ac y dyliwn i drio maddau i Mam. Ond doedd hynny ddim yn mynd i fod yn hawdd. Ers ein dyddia cynta yn Lerpwl, doedd hi ddim wedi trio gwneud unrhyw fywyd iddi'i hun. Dim ond rhyw ymdrybaeddu mewn hunandosturi.

Yn ystod y dyddiau cynnar ar ôl i ni gyrraedd Lerpwl, byddai Anti Rosie yn galw draw ryw ben bob wythnos i gael sgwrs fach a siarad am eu hen fywyd yn y 'Rhendra. Ond pan ddechreuodd weithio yn y Picturedrome, daeth yr ymweliadau hynny i ben. Er i Mam gael ei gwadd draw i dŷ Yncl Glyn ac Anti Rosie lawer gwaith, gwrthod fydda hi bob tro ar ôl y noson honno pan oedd y ffrindia dawnsio rheini yno.

Mi gafodd bob croeso gan bobl y capel hefyd a gwahoddiadau i ymuno â'r corau adrodd a chanu oedd ganddyn nhw yno. Ond gwrthododd bob gwahoddiad gan ddeud nad oedd hi 'run fath â'r bobl eraill oedd yn y corau, gan nad oedd hi'n athrawes nac yn nyrs ac na fasa ganddyn nhw diddordeb mewn rhyw wraig tŷ gyffredin fel hi. Esgus oedd hyn i gyd, wrth gwrs. Roedd pobl y capel yn hynod o glên ac er bod llawer ohonyn nhw yn nyrsys neu'n athrawon, roedd 'na lawer o wragedd tŷ fath â Mam yno hefyd. A beth bynnag, doedd dim gwahaniaeth beth oedd eich gwaith: roedd y ffaith eich bod yn siarad Cymraeg yn gwneud i bawb berthyn yn agos i'w gilydd.

Galwodd Mrs Williams, gwraig un o'r blaenoriaid, i'r tŷ i weld Mam un tro, i drio'i pherswadio i ymuno yn y dosbarthiadau gwnïo a fyddai'n cael eu cynnal ganol wythnos. Ond gwrthododd Mam ag ystyried y peth gan ddeud wrth Mrs Williams druan ei bod yn llawer rhy brysur.

"Pwy oedd honna'n feddwl oedd hi, yn dŵad i fa'ma i swnian arna i? Mae'n rhaid ei bod hi wedi darllen *Yn Ôl i Leifior* ne' rwbath a'i bod hi'n ffansïo ei hun fel rhyw Mrs Evans. Ond dim Greta Rushmere ydi fy enw i!"

Edrychodd Dad a fi yn rhyfedd ar Mam ar ôl clywed y fath brotest. Doedden ni ddim wedi darllen *Yn Ôl i Leifior* felly doedden ni ddim yn gwybod am beth roedd hi'n sôn, ond roedden ni'n gwybod ei bod hi'n treulio llawer iawn o'i hamser yn darllen llyfrau Cymraeg a'r *Cymro* a'r *Herald Cymraeg* y byddai Nain Cae'r Delyn yn eu hanfon ati bob wythnos.

Yn wahanol i pan roedd hi'n byw yn 'Rhendra, doedd Mam ddim wedi dechra mynd i'r capel yn rheolaidd iawn ers iddi ddŵad i Lerpwl ac yn fuan ar ôl y ffrae fawr rhwng Dad a Ger, stopiodd fynd yn gyfan gwbwl.

Ychydig iawn fydda hi'n ei fentro allan o gwbwl erbyn ein misoedd ola ni yn Lerpwl. Fydda hi byth yn mentro cyn belled â'r siopa ar Stryd Fawr Kensington, heb sôn am ddal bỳs i lawr i'r dre. Dad a fi fydda'n gorfod ymorol bod 'na fwyd yn dŵad i'r tŷ. Yr unig le y parhaodd i fynd yno bob wythnos oedd siop Mr Johnson ar waelod y stryd.

Roeddwn i wedi dyheu lawer gwaith am i Mam fod yn naturiol fath â mamau fy ffrindia. Er bod Mrs Burns, mam Nicola, braidd yn goman ac yn gallu bod yn flin iawn ar brydia, doedd hi byth yn ymddwyn fel nad oedd hi'n malio am ddim, fath â Mam.

Roeddwn wedi treulio blynyddoedd mewn ofn rhag i rywbeth faswn i'n ei wneud neu'n ei ddweud darfu arni. Roedd hi'n ymddangos fel petai hi mor fregus â'r wya gwirion yna roedd hi wedi eu cadw ar y silff ffenast.

Yn sydyn, daeth rhyw ysfa drosta i i gosbi Mam ac i ddeud wrthi'n union beth oeddwn i'n ei feddwl ohoni.

Cyn i Dad allu fy rhwystro, rhedais i fyny'r grisiau a rhuthro i mewn i'w stafell wely.

Doeddwn i erioed wedi teimlo'r fath gynddaredd ac wrth weld Mam yn gorwedd ar ei gwely a'i chefn ata i, lluchiais fy hun arni a'i gorfodi i droi i fy wynebu cyn sgrechian yn ei hwyneb:

"Bitsh!"

Roedd holl rwystredigaeth y blynyddoedd diwetha wedi'i grynhoi mewn un gair.

Steddais yn llipa ar erchwyn y gwely gan igian crio.

"Tyd lawr grisia," meddai Dad gan afael yn fy mraich a dechrau fy arwain allan o'r ystafell.

135

"Na, Gwilym, gad lonydd iddi. Mae'n hen bryd i mi drio egluro llawar o betha i'r ddau ohonoch chi. Dwi wedi cadw petha y tu mewn imi yn llawar rhy hir. Dyna sut rydan ni wedi cyrraedd y ffasiwn stad. Dwi'n gwybod eich bod chi'n meddwl 'mod i ar fai am fy mod i wedi gneud be wnes i, ac mae gan y ddau ohonoch chi hawl i glywed fy rhesyma. Trio gwarchod Geraint rhag gweld be oedd wedi dŵad ohonoch chi oeddwn i. Mae Cymru a'r Gymraeg mor bwysig iddo fo ac mae o wedi aberthu gymaint yn barod fel mae'n siŵr i chi sylwi ar ôl darllen ei lythyra fo. Roedd gweld ei deulu ei hun yn cefnu yn rhoi cymaint o loes iddo fo ac roedd o'n teimlo bod yn rhaid iddo fo neud iawn am hynny drwy weithredu ei hun. Roedd yn rhaid i mi drio'i warchod o drwy eich cadw chi ar wahân achos do'n i ddim am iddo fo wybod cyn lleied o Gymry oeddech chi erbyn hyn."

"Yli, Megan, tydi hyn ddim yn deg. Mae Beti a finna yn gymaint o Gymry â..."

"O, na, Gwilym, dwyt ti ddim yn gweld gymaint ydach chi wedi newid. Gymaint mae'r lle 'ma wedi'ch newid chi. Dach chi'ch dau'n ymddwyn fel petaech chi wedi anghofio pwy ydach chi ac o lle daethoch chi rywsut."

"Ond, Mam, dach chi ddim yn dallt. Roedd yn rhaid i ni newid. Digon hawdd i chi weld bai ar Dad a fi ond doeddech chi ddim yn gorfod mynd allan o'r tŷ 'ma a chymysgu hefo pobol fath â ni."

"Ond doeddat ti ddim yn fodlon gadael dy ddiwylliant newydd y tu allan i'r tŷ 'ma. O, na, roedd yn rhaid i ti wasgu arna i drwy chwara'r hen recordia aflafar 'na yn dy lofft o fora gwyn tan nos."

Ar hynny, cododd Mam o'i gwely a mynd at ei silff lyfrau.

"Drycha. Weli di'r llyfra 'ma?" medda hi gan bwyntio at bentwr oedd yn gorwedd un ochr i'r silff. "Llyfra mae Ger wedi bod yn eu hanfon atat ti bob Dolig ac ar dy ben-blwydd ydy'r rhain."

"Naethoch chi gadw'r rheina oddi wrtha i hefyd? Doedd gynnoch chi ddim hawl. Be mae Ger yn ei feddwl ohona i a finna heb anfon gair o ddiolch ato fo na dim?"

"Mi sgwennais i yn dy le di bob tro a deud wrtho fo gymaint roeddat ti wedi mwynhau pob llyfr."

"Ond pam? Pam na fasach chi wedi gadael i mi neud hynny fy hun?"

"Dwi'n byw efo chdi, cofia. Felly dwi'n gwybod faint mae dy Gymraeg di wedi dirywio. Fasat ti byth wedi gallu darllan y llyfra yma a gwerthfawrogi iaith T. Llew Jones ac Elizabeth Watkin-Jones, hyd yn oed 'tasat ti'n trio. Doeddwn i ddim am adael i ti frifo Geraint eto drwy anwybyddu ei lyfra fo na chwyno eu bod nhw'n ddiflas!"

Fedrwn i ddim aros i wrando ar fwy. Felly, trois fy nghefn a rhedeg i lawr grisia ac at y telifision er mwyn gwylio *Top of the Pops* ac i gael gweld oedd cân newydd y Beatles, 'All you need is love' wedi gwthio Procol Harum o rif un y siartiau.

Ond er mai'r rhaglen yma oedd uchafbwynt fy wythnos fel arfer, doedd fy meddwl ddim arni hi'r noson honno.

PENNOD 16

As the June light turns to moonlight
I'll be on my way...
('I'll Be On My Way': Y Beatles)

Cysgais yn anesmwyth drwy'r nos a breuddwydio am wyau Cae'r Delyn yn deor a llond y lle o gynrhon mawr, tew, yn llithro allan ohonyn nhw ac yn llyncu pob dim oedd o'u blaena.

Doedd Mam ddim wedi codi pan es i lawr am frecwast. Ond roedd Dad yno'n chwara efo'i uwd.

"Yli, Bet," medda fo, "tria beidio poeni am be ddigwyddodd ddoe. Rydw i a dy fam wedi dŵad i ddallt ein gilydd yn well erbyn hyn. Mi fuon ni ar ein traed hannar y nos yn trafod pob dim ar ôl i ti fynd i dy wely. Mi gawson ni gyfle i siarad yn blaen – mwy nag ydan ni wedi'i neud ers i ni symud i Lerpwl 'ma. Rydw i wedi bod ar fai yn meddwl dim ond am fy mhetha fy hun a ddim yn ystyried teimlada dy fam. Wnes i ddim trio dallt be oedd yn ei phoeni hi a pham roedd hi wedi newid gymaint ar ôl dŵad yma. Ei ffordd hi o gael yn ôl ata i oedd cuddiad y llythyra 'na, 'sti. Ond mae hi'n poeni'n ofnadwy am yr effaith mae hynny wedi'i gael arnat ti."

138

"Doedd hi ddim yn swnio fath â'i bod hi'n poeni llawar amdana i neithiwr. Y cwbwl nath hi oedd fy meio i am bob dim."

Ar hynny, daeth Mam i mewn i'r gegin ac eistedd ochr arall i'r bwrdd. Dechreuodd ffidlan gyda'r lliain bwrdd cyn gofyn, "Beti, nei di fadda i mi? Ddyliwn i ddim fod wedi cadw llythyra a llyfra Geraint oddi wrthat ti. Dim dy fai di oedd o dy fod ti wedi cefnu ar betha Cymreig. Mi ddyliwn i fod wedi rhoi cefnogaeth i ti a dy feithrin di yn lle dy gau di allan fel y gwnes i. Taswn i wedi gneud hynny, mi fasa petha wedi bod yn llawar haws i'r ddwy ohonan ni."

Yna, gollyngodd y lliain bwrdd ac edrych i fyw fy llygaid a deud ei bod yn gaddo newid ar ôl i ni symud 'nôl i Gymru.

"Os bydd rhaid, mi 'na i fynd o dan law doctor. Unrhyw beth i ddŵad yn ôl ataf fy hun. Rydw i'n sylweddoli erbyn hyn nad oedd gen i hawl i ddŵad rhyngot ti a Geraint. Ond ar ôl dechra byw celwydd roedd hi'n haws cario 'mlaen na chyfadda be o'n i'n ei wneud."

Doeddwn i ddim wedi clywed Mam yn siarad fel hyn erioed o'r blaen a fedrwn i wneud dim ond gobeithio ei bod hi ar ei ffordd i wella. Ond ar ôl dioddef blynyddoedd o'i phylia, do'n i ddim mor siŵr y byddai'n gallu newid mor hawdd â hynny.

Amser yn unig a ddengys, meddyliais. Ond daliais fy nhafod.

Roedd y ddau wedi cael amser i wneud chydig o gynllunia am beth fasa'n digwydd ar ôl i ni symud hefyd. Roedd Yncl Twm, brawd Mam, wedi gaddo trio cael lle i Dad yn y ffatri laeth.

"Meddylia am yr hen ddwylo 'ma sy wedi arfar colbio'r wenithfaen galad 'na yn y chwaral ac wedyn weldio metal yn iard longa Cammell Laird's yn trin caws a menyn meddal," medda Dad gan chwerthin. "Cyn hir mi fyddan nhw mor feddal â dwylo unrhyw leidi."

Dim ond dros dro roeddan ni'n mynd i aros yng Nghae'r Delyn hefyd. Cyn gynted ag y basa Dad yn cael gwaith, roedd o a Mam am chwilio am dŷ i ni yn yr ardal.

Ar ôl i mi orffen brecwast ac estyn fy mag, daeth y ddau i 'nanfon at y drws gan ddymuno'n dda i mi ar fy niwrnod ola yn yr ysgol.

Mi fuo pawb yn hynod o glên efo fi yn yr ysgol. Cefais focs o siocled gan June a Margaret ac fe wnaeth y rhan fwya o'r athrawon ddymuno'n dda i mi.

"*Ay yous go'n ter keeps things go'n wi' dis Erich bloche now dat yer go'n away?*" oedd cwestiwn cynta Amanda Brown pan ddeallodd honno 'mod i'n madael.

"*Ay 'ope yer not in de club laich yer mate Nichola and that's de reason yer leav'n der Pool?*" ychwanegodd ei ffrind Pauline.

Teimlais fy hun yn cochi a doeddwn i ddim yn rhy siŵr sut i'w hateb. Yna meddyliais, be oedd ots be fydda'r ddwy yna yn feddwl ohona i. Welwn i byth mohonyn nhw eto. Felly, edrychais i fyw llygaid Amanda cyn ateb nad oeddwn i'n bwriadu parhau i weld Eric a bod croeso iddi hi neu Pauline ei gael o, gan 'mod i'n mynd i Gymru, lle roedd hogia delach nag Eric yn tyfu ar goed.

Yna trois ar fy sawdl a'u gadael yn syllu arnaf yn gegagored.

"Da iawn, rŵan," meddwn i wrthyf fy hun. Mi fasa Nicola wedi bod wrth ei bodd yn fy nghlywed yn ateb y ddwy yna fel y gwnes i.

Yna, fe drawodd o fi. Roedd Pauline yn gwybod bod Nicola'n disgwyl. Tybed sut daeth y stori yna i'w chlustia hi? Yn sicr, doeddwn i ddim wedi deud yr un gair wrth neb, er i lawer fy holi be oedd yn bod ar Nicola, gan nad oedd hi wedi bod ar gyfyl yr ysgol ers bron i bythefnos.

A deud y gwir, ro'n i'n teimlo braidd yn annifyr ynghylch Nicola, gan nad oeddwn wedi cysylltu efo hi ers y diwrnod hwnnw pan aethon ni i'r clinic. Wrth gwrs, ro'n i wedi bod yn brysur yn pacio a ballu. Ond doedd hynny ddim yn esgus – mi ddyliwn fod wedi picio draw i'w gweld. Y gwir amdani oedd 'mod i'n teimlo'n hynod o anghyffyrddus o wybod bod Nicola'n disgwyl. Do'n i ddim yn gwybod sut i ddelio â'r holl beth a do'n i ddim yn gwybod be i'w ddeud wrthi. Ond ro'n i'n gadael Lerpwl y bore wedyn a fedrwn i byth fynd heb ffarwelio'n iawn efo fy ffrind gora. Felly penderfynais alw draw i dŷ Nicola ar fy ffordd adra o'r ysgol.

"*Aritte Liz, luv, cum in,*" meddai Mrs Burns pan atebodd y drws. "*Our Nichola's upstairs, she wul be made up ter see yous.*"

Pan agorais ddrws llofft Nicola, fedrwn i ddim credu'r newid oedd wedi digwydd yn y stafell. Roedd y llofft flêr gyda'r posteri pop a phêl-droed wedi mynd ac yn ei lle roedd 'na stafell fyw orlawn.

"Ti'n licio fo?" gofynnodd Nicola gyda balchder yn ei llais. "Mae Mam a fi wedi bod mor brysur yn gneud y lle 'ma'n barod fel y bydd o'n gartre i Ricky a fi ar ôl i ni briodi."

Priodi? Felly roedd Ricky a hi yn mynd i briodi? Ond cyn i mi gael gair i mewn, aeth Nicola 'mlaen, heb gymryd ei gwynt, i ddisgrifio popeth oedd yn y stafell.

"Mae pawb wedi bod mor ffeind. Rydan ni wedi cael y telifision 'na gan mam a thad Ricky, y bwrdd a'r ddwy gadair gan Anti Florie Fazakerley ac mi nath Anti Emma o Aigburth roi'r *bed-settee* 'ma i ni, chwara teg iddi. Yli, wrth i ti'i thynnu hi i lawr fel hyn, mae hi'n troi'n wely dwbwl..."

Nodiais fy mhen wrth i'r holl wybodaeth am darddiad pob un o'r celfi oedd yn y stafell gael eu trafod. Roedd Nicola fel hogan bach yn chwarae tŷ dol.

Ar ôl fy ngwahodd i eistedd ar y *bed-settee* a safai yn lle roedd ei gwely'n arfer bod, aeth i lawr y grisiau i nôl paned i mi.

Edrychais o gwmpas y stafell a'i dodrefn ail-law. Nicola druan, meddyliais. Sut roedd hi a Ricky yn mynd i allu byw yn y stafell fach yma? Lle oeddan nhw'n mynd i roi'r babi?

Cyn hir, daeth Nicola'n ôl gyda dau fygiad o goffi i ni. Eisteddodd wrth fy ochr ar y *bed-settee* a thaniodd sigarét iddi hi ei hun.

"O, Liz, rydw i mor falch o dy weld di. Mae gen i gymaint o betha dwi isio'u deud wrthat ti. Mae 'na

142

gymaint wedi digwydd ers i mi dy weld di'r diwrnod 'na pan aethon ni i'r clinic."

Aeth Nicola 'mlaen i adrodd hanes beth ddigwyddodd ar ôl iddi ddychwelyd adre y pnawn hwnnw o'r Royal Infirmary. Ar ôl te'r noson honno, mynnodd Mrs Burns fod Nicola'n mynd i weld Ricky a dweud wrtho ei bod hi'n disgwyl.

"Do'n i'm isio mynd y noson honno, 'sti, gan 'mod i'n gwybod y byddai Ricky'n mynd allan hefo'i ffrindia i chwarae snwcer bob nos Fawrth. Ond doedd dim yn tycio hefo Mam. Ti'n gwybod sut ma hi'n gallu bod."

Felly ar ôl i Mrs Burns fygwth mynd draw i weld Ricky ei hun, cytunodd Nicola y basa hi'n mynd.

"Ro'n i'n gwybod nad oedd o'n syniad da, 'sti, Liz. A phan atebodd Ricky'r drws nath o 'mond gofyn be o'n i isio'n reit sych. A phan ddudis i wrtho fod gen i rwbath i' ddeud wrtho fo, dyma fo'n deud wrtha i am ddeud be oedd gen i' ddeud yn reit handi, gan ei fod o isio brysio i gyfarfod â'i ffrindia."

Felly bu'n rhaid i Nicola ddeud wrtho ar stepan drws ei bod yn disgwyl ei fabi.

"Ricky druan," meddai Nicola. "Mae'n rhaid fod y peth wedi bod yn gymaint o sioc iddo fo, achos y cwbwl nath o oedd rhegi dros y lle a 'ngalw i'n *bloody fool* cyn cau'r drws yn fy wynab i."

Ricky druan, wir! meddyliais. Y bast... Ond cyn i mi allu deud dim, roedd Nicola wedi mynd 'mlaen efo'i stori gan ddisgrifio ymateb ei thad pan ddaeth hi adra.

Roedd Mr Burns yn gandryll ac aeth o gwmpas y tŷ fel peth gwyllt gan weiddi dros y lle nad oedd neb yn mynd i gael trin ei ferch o fel'na. Yna, wedi iddo ddod ato'i hun, aeth o a dau frawd mawr Nicola, Kevin a Danny, draw i'r clwb lle roedd Ricky'n chwarae snwcer.

Doedd Nicola ddim yn siŵr iawn beth ddigwyddodd y noson honno. Ond ar ôl ei waith y noson ganlynol, daeth Ricky draw i dŷ Nicola gyda bwnsiad o floda a modrwy dyweddïo.

"Ti'n 'i licio hi?" medda hi gan ddal ei llaw i fyny er mwyn i mi weld y fodrwy'n iawn. "Modrwy nain Ricky oedd hi, 'sti, ac roedd o am i mi ei chael hi, medda fo. Neis 'te. Wrth gwrs, fedrwn ni ddim priodi tan y bydda i'n un deg chwech. Ond rydan ni wedi trefnu i briodi ar ddiwrnod fy mhen-blwydd i ar ddiwrnod ola'r flwyddyn. Priodas fach mewn offis fydd hi, 'sti, heb ddim llawer o ffrils. Jyst gobeithio na fydd y babi wedi penderfynu cyrraedd yn gynnar, yntê," meddai Nicola gan fwytho'i bol. "Ganol Ionawr mae o i fod i gyrraedd, medda'r doctor. Beth bynnag, dwi isio i ti fod yn y briodas."

"Ond, Nicola, fydda i ddim yma. Ti ddim yn cofio? Dwi'n gadael Lerpwl fory. Dyna pam y dois i yma i dy weld di ar fy ffordd adra o'r ysgol heddiw. I ffarwelio hefo ti!"

"Twt, dim ond i Gymru ti'n mynd. Ti'n siarad fath â dy fod ti'n mynd i Timbactŵ neu rwbath. Mae 'na fysys a threna yn dŵad o Gymru i Lerpwl bob dydd, siawns."

"Wel, oes…"

"Dyna ni 'ta. Does 'na ddim problam felly."

Doedd dim arall y medrwn ei ddeud – roedd Nicola wedi ymgolli yn ei phetha'i hun a doedd dim ots o gwbwl ganddi 'mod i'n gadael.

Felly codais oddi ar y *bed- settee* a deud bod yn rhaid i mi fynd i orffen pacio.

Ddaeth Nicola ddim hyd yn oed i lawr grisia i fy nanfon i'r drws.

PENNOD 17

You make me dizzy, Miss Lizzy,
Girl, you look so fine...
('Dizzy Miss Lizzy': Y Beatles)

Ar fy ffordd adra y pnawn hwnnw, ro'n i'n teimlo mor siomedig, yn teimlo bod Nicola wedi anwybyddu'r ffaith 'mod i'n gadael. Wedi'r cwbwl, roedd pawb arall yn yr ysgol wedi bod yn llawer neisiach efo mi. Roedd hyd yn oed Pauline ac Amanda wedi deud y basan nhw'n fy ngholli i. Ond ddudodd Nicola, fy ffrind gora, 'run gair amdana i, dim ond sôn am yr hyn oedd wedi digwydd iddi hi.

Erbyn i mi gyrraedd y tŷ, roedd popeth wedi'i bacio a'r dodrefn i gyd heblaw am ein gwelyau wedi'u symud i'r stafell ffrynt yn barod i'w llwytho i mewn i'r fan yn y bore.

"Mi a' i draw i'r siop jips i gael swper i ni nes 'mlaen," medda Dad. "Does 'na ddim modd i dy fam neud dim i ni heno gan fod petha'r gegin i gyd wedi'u pacio."

"Dwi wedi gadael dillad allan i ti ar dy wely," medda Mam, "achos ti ddim isio aros yn dy ddillad ysgol. Dos i fyny i folchi a newid rŵan."

Pan gyrhaeddais fy llofft, synnais weld fy nillad gora ar y gwely. Be oedd Mam yn ei feddwl oeddwn i am neud y noson honno? Gwisgo i fyny'n grand i gael bwyd o'r siop jips?

"O wel, waeth i mi folchi a newid ddim," meddyliais. Roedd yn well i mi fod yn fy nillad gora nag yn fy ngwisg ysgol, mae'n siŵr.

Cyn hir, roedd hi'n saith o'r gloch a doedd dim siâp mynd i nôl bwyd ar Dad. Erbyn hynny, roeddwn i'n teimlo'n reit llwglyd ac mi gynigiais fynd i nôl y chips fy hun.

"Na, aros di'n fa'ma, rhag ofn i rywun ddŵad draw. Mi a' i i nôl y chips," atebodd Dad.

Be oedd yn bod ar y ddau? Mam yn gadael fy nillad gora allan i mi a Dad am i mi aros yn tŷ rhag ofn i rywun ddŵad draw. Doedd 'na neb byth yn dŵad draw i'n tŷ ni heblaw am Nicola, a go brin y basa honno'n dŵad heno. Roedd hi'n llawar rhy brysur yn chwara tŷ bach hefo'r hen Ricky 'na a smalio nad oedd ganddi hi broblam yn y byd.

Ar hynny, daeth cnoc ar y drws. Kevin Burns, brawd Nicola, oedd yno. Roedd o wedi dŵad i fy nôl i, medda fo.

Trois i edrych ar Mam a Dad. "Dos di i fwynhau dy hun," meddan nhw. "Mae Nicola a'i theulu wedi trefnu sypréis i ti."

Dringais i mewn i Ford Cortina Kevin. Taniodd yntau'r injan a chan refio'n uchel, cychwynnodd y car.

Er i mi drio'i holi lle roedd o am fynd â fi, gwrthododd Kevin ddeud dim. Ond cyn hir, stopiodd y car o flaen

147

caffi Tsieineaidd crand yng nghanol y dre. Roeddwn i a Nicola wedi sefyll tu allan i'r caffi yma lawer gwaith gan ddotio at y lluniau o ddreigiau hardd oedd yn addurno'r lle.

"Draig ydi symbol Cymru hefyd, 'sti," meddwn i wrthi un tro. "Ond mai draig goch ydi un ni, dim un aur fel hyn."

"Ia, wel," atebodd Nicola gan ddarllen y fwydlen a grogai tu allan i'r drws. "Ydach chi'r Cymry'n byta bwyd rhyfedd fel sy'n fa'ma hefyd? Chow Mein a Chop Suey? Beth bynnag ydi petha felly!"

Pwniais hi a deud wrthi am beidio herian. Roedd hi'n gwybod yn iawn 'mod i wedi fy magu ar lobsgows fath â hithau.

Chwerthin nath Nicola a deud, "Yli, pan 'na i ennill y Pools, mi 'na i ddŵad â chdi i fa'ma am bryd o fwyd."

Ond er nad oedd Nicola a'i theulu wedi ennill ar y pyllau pêl-droed a'u bod nhw hyd eu ceseiliau mewn trafferthion eu hunain, roeddan nhw wedi mynd i drafferth i logi bwrdd ar fy nghyfer i a fy ffrindia yn y caffi Tsieineaidd crand 'ma.

Pan gyrhaeddais y bwrdd, dyna lle roedd Nicola, June a Margaret yn aros amdana i. Teimlais fy llygaid yn llenwi a daeth yr hen lwmp hwnnw'n ôl i fy ngwddw.

"Tyd yn dy flaen, Liz – doeddat ti rioed yn meddwl y baswn i'n gadael i fy ffrind gora fynd o Lerpwl heb roi *send-off* iawn i ti? Roedd hi'n anodd peidio deud dim am heno pan ddois di draw acw ar ôl 'rysgol, 'sti. Mae'n siŵr dy fod ti'n meddwl 'mod i'n hunanol ac yn llawn o 'mhetha fy hun."

"Wel..."

"Reit, dyna ddigon o siarad, dewch, mae'r *waiter* bach 'ma'n aros i ni ordro," torrodd Margaret ar ein traws. "Dwn i ddim beth amdanach chi, ond rydw i'n ffansïo'r Spring Roll 'ma i ddechra a Lemon Chicken wedyn."

Doeddwn i erioed wedi profi bwyd tebyg i hyn o'r blaen. Roedd popeth mor ddiarth a blasus a chyn hir roedd platiau pawb yn wag ar wahân i frithyll Sweet and Sour Nicola. Roedd hi'n hollol bendant fod blas mwd y Mersi ar hwnnw.

"Mae'r bwyd yn iawn," meddai June. "Chdi sy'n dychmygu petha am dy fod ti'n disgwyl, siŵr!"

Edrychais ar Nicola.

"Yndi, mae June a Margaret yn gwybod 'mod i'n disgwyl erbyn hyn," medda hi. "Wel, fedrwn i ddim cadw'r peth yn gyfrinach yn hir a fy mol i'n dechra chwyddo fel hyn!"

Erbyn deg o'r gloch, roedd Kevin wedi dŵad i'n danfon ni adra. Ar ôl gollwng June a Margaret o flaen eu tai, gyrrodd ymlaen at ein tŷ ni. Pan stopiodd y car, daeth Nicola allan a gafael yn dynn amdanaf, cyn stwffio parsel bach i fy llaw.

"Dyma i ti rywbeth bach i ti i gofio amdanan ni yn Lerpwl 'ma. Agora fo," medda hi. "Dwi'n meddwl y byddi di'n ei licio fo."

Gyda dwylo crynedig, agorais y parsel yn ofalus.

Llun maint cerdyn post o John oedd yno a hwnnw wedi'i fframio.

"Tro fo drosodd i ti gael gweld be sy ar y cefn."

Roedd y ffrâm yn un ddwbwl, gyda gwydr bob ochr a phan drois hi drosodd, gallwn weld cefn y cerdyn post a'r ysgrifen arno.

To my Miss Lizzy,
Love, John
xx

"Ddudis i wrthat ti fod Danny 'mrawd yn nabod y boi 'ma sy'n nabod cyfneither John, yn 'do?"

"Do, gannoedd o weithia!"

"Wel, mi aeth hi draw efo'r teulu i'w weld o yn Llundan wythnos diwetha ac mi ofynodd Danny i'r boi 'ma ofyn iddi drio gael llofnod John i ti."

Fedrwn i ddim credu'r peth. Doedd bosib fod John Lennon ei hun wedi ysgrifennu'r neges bersonol yna i mi? Dechreuodd y dagrau lifo. Nicola oedd y ffrind gorau yn y byd.

Trwy fy nagrau, triais ddeud wrthi gymaint y baswn yn ei cholli ac nad o'n i eisiau gadael Lerpwl.

"Twt lol, medda Nicola. "Cofia, fel dudis i wrthat ti pnawn 'ma, dim i Timbactŵ ti'n mynd. Mae 'na fysia a threna'n dŵad o Gymru i Lerpwl 'ma bob dydd! A beth bynnag, dwi isio i ti ddŵad yn ôl i fod yn forwyn briodas i mi ac yn fam fedydd i'r babi pan ddaw o. Mi fydda i'n dy golli di, Liz. Fydd Lerpwl 'ma ddim 'run fath hebddot ti."

"Mi fydda i'n gweld dy golli ditha hefyd. Ti wedi bod

yn ffrind da i mi. Dwi ddim yn gwybod sut y baswn wedi setlo'n Lerpwl heblaw amdanat ti."

Yna gafaelodd y ddwy ohonon ni'n dynn yn ein gilydd gan feichio crio am beth amser tan i Kevin gael llond bol a dechra canu corn y Ford Cortina.

Fore drannoeth, llwythwyd ein pethau i gyd i gefn y fan gludo fawr. Clodd Dad ddrws y tŷ, yna gwthiodd y goriad trwy'r blwch postio cyn dringo i fyny at Mam a fi. Cyn hir roedden ni'n gyrru drwy Dwnnel Mersi tuag at ein bywyd newydd ym Mhen Llŷn.

EPILOG

... *rhaid i NI fod yn ddynion*
I fynnu ei rhyddid hi.
('Wrth Feddwl am fy Nghymru': Dafydd Iwan)

"'Sgen ti ffansi dŵad efo ni i'r Steddfod?" gofynnodd Carys un noson. "'Dan ni'n mynd i aros yn y Bala am ryw noson neu ddwy."

Roedd hi a'i theulu wedi symud i Gae Mawr, y fferm agosa at Gae'r Delyn, ers rhyw dair blynedd ac roedd Mam, Dad a fi wedi cael croeso cynnes a llawer o help ganddyn nhw i setlo yn ein bywyd newydd.

Ers i ni gyrraedd, doeddwn i ddim wedi cael fawr o amser i feddwl am fy hen fywyd yn Lerpwl. Ro'n i'n brysur drwy'r dydd yn helpu Mam a Nain o gwmpas y tŷ a'r iard. Yna, bob gyda'r nos, byddai Carys a Huw ei brawd yn dŵad draw mewn hen fan Austin A35 ac yn mynd â fi i wahanol lefydd ym Mhen Llŷn: picnic ar Draeth Oer, eis-crîm yn Aberdaron, twmpath dawns yn Sarn. Roedd 'na rywbath gwahanol i'w wneud o hyd.

Doeddwn i ddim isio pechu Carys, a hitha a'i theulu wedi bod mor groesawgar ond fedrwn i ddim meddwl am ddim gwaeth nag eistedd mewn rhyw steddfod ddiflas yn gwrando ar un cystadleuydd ar ôl y llall yn canu neu'n adrodd rhyw ddarnau hir, diflas. Ro'n i wedi cael digon o hynny pan o'n i'n gorfod cystadlu gyda phartïon o'r capal yn Steddfod Lerpwl.

"Wel, dwi ddim yn siŵr – dwi ddim yn dda iawn hefo rhyw ganu ac adrodd a phetha felly, 'sti," atebais.

"Dim steddfod felly ydi hi siŵr. Sôn ydw i am y Steddfod Genedlaethol, lle mae pawb yn mynd i gerddad o gwmpas y Maes i weld hen ffrindia a phicio mewn i wahanol stondina a ballu. Plis, tyd. Mi ga'n ni gymaint o hwyl. Mi gei di a fi gysgu yng nghefn y fan tra bydd Huw yn aros yn y maes pebyll efo'i ffrindia. Maen nhw'n deud fod y Blew yn mynd i fod yno hefyd. Ti 'di cl'wad amdanyn nhw? Maen nhw'n ffab!"

Felly, tair wythnos ar ôl i mi adael Lerpwl, dyna lle roeddwn i'n mwynhau fy hun ac yn synnu at y môr o Gymreictod oedd o'm cwmpas ar Faes Eisteddfod Genedlaethol y Bala.

Biti na fasa'r Eric hollwybodus 'na yma i weld hyn, meddyliais. Iaith farw, wir!

"Yli, pwy sy'n fan'cw," medda Carys yn gyffro i gyd wrth i ni gerdded o amgylch y pafiliwn am y canfed tro y diwrnod hwnnw.

"Dafydd Iwan!"

"Dafydd pwy?"

"Wel Dafydd Iwan 'te. Paid â deud nad wyt ti'n gwybod pwy ydi o. Mae o'n enwog ofnadwy yng Nghymru 'ma. Mwy enwog na dy Beatles di! Mae o'n canu ar y telifision a phob dim. Tyd, awn ni i'w ddilyn o."

"I be?"

"Wel i drio cael ei lofnod o, siŵr."

Mi fuon ni'n dilyn y canwr am hydoedd wrth iddo gerddad o gwmpas y Maes. Ond bob tro roedd Carys yn gweld ei chyfla i ofyn am ei lofnod, roedd rywun arall yn achub y blaen arni.

Gwaith sychedig oedd cerdded o gwmpas y Maes ac ar ôl rhyw hanner awr, ro'n i wedi cael llond bol. Felly penderfynais aros wrth stondin i brynu diod oer.

"'Dan ni 'di golli fo rŵan ac mi fydd hi'n amhosib cael hyd iddo fo eto yng nghanol yr holl bobl 'ma," medda Carys yn ddigalon.

"Sori, ond ro'n i jyst â thagu isio di…"

"Tyd! Dwi 'di cael syniad!" torrodd Carys ar fy nhraws gan ddechra halio ar fy mraich. "Awn ni i stondin Cymdeithas yr Iaith. 'Dan ni'n siŵr o'i weld o yn fan'no. Mae o i mewn i betha fel achub yr iaith, 'sti. Dyna ydi testun lot o'i ganeuon o."

Ond pan gyrhaeddon ni'r stondin, doedd 'na fawr o neb yno.

"Fedra i'ch helpu chi ferched?" gofynnodd y dyn oedd yn gofalu am y lle.

"Ym… ga'n ni stamp, os gwelwch yn dda?" meddwn i ar ôl sylwi ar boster yn deud bod yna stampia i gofio am gyfieithu'r Testament Newydd ar werth yno.

Ar ôl i mi dalu grôt am y stamp, gofynnodd Carys a oedd Dafydd Iwan yn debygol o ddŵad draw i'r stondin.

"Mae'n debyg ei fod o wedi mynd i'r cyfarfod ym

Mhabell y Cymdeithasau," atebodd y dyn gan bwyntio at boster arall oedd i fyny yn y stondin. "Dyna lle mae pawb wedi mynd y pnawn 'ma."

Ar ôl cael hyd i Babell y Cymdeithasau, sleifiodd Carys a finna i mewn i'r cefn. Roedd y lle'n llawn ond mi fasach wedi gallu cl'wad pìn yn disgyn, gan fod pawb yn gwrando'n astud ar ryw ddyn yn areithio ar lwyfan ym mhen blaen y babell:

"... mae'r Gymdeithas fel cleddyf sy'n hollti, ac wrth hollti mae rhai'n syrthio bob ochr..."

Aeth y dyn ymlaen i sôn am ryw Fesur Iaith a phetha nad o'n i'n eu dallt.

Roedd hi'n boeth yno ac ro'n i isio mynd allan i gael awyr iach. Ond doeddwn i ddim am siomi Carys eto. Felly, dechreuais edrych o'm cwmpas ar y gynulleidfa.

"... mesur sydd yn caniatáu siarad Cymraeg yn y llysoedd ond yn anwybyddu'r hawl i gael prawf cyfan yn yr iaith..."

Pan ddeudodd y dyn ar y llwyfan y geiria yma, am ryw reswm, trodd rhai o'r gynulleidfa i edrych i gyfeiriad rhywun oedd yn eistedd ar ben y rhes o 'mlaen i.

Plygais inna 'mlaen i gael gweld yn well.

A dyna pryd y gwelis i o! Ger!

Roedd o'n edrych yn hŷn ac roedd ei wallt o'n hirach. Ond Ger oedd o. Roeddwn i'n hollol siŵr o hynny.

Dechreuodd fy nghalon guro fel drwm wrth i'r amheuon ddechra hel yn fy meddwl.

Fasa fo yn fy nabod i ar ôl pedair blynedd?

Fasa fo isio fy nabod i?

Be faswn i'n ddeud wrtho fo?

Ond fy mrawd mawr i oedd y person yna oedd yn eistedd yn y rhes o 'mlaen i a doedd dim byd yn mynd i 'nghadw i oddi wrtho fo!

O'r diwedd, daeth y cyfarfod i ben a dechreuodd pawb lifo allan o'r babell. Ar ôl egluro'n frysiog i Carys, aeth hithau allan i drio cael gafael ar Dafydd Iwan, gan fy ngadael i wrth y fynedfa i aros am Ger.

Cyn hir, fe ddaeth o allan yng nghanol criw o'i ffrindia. Gwasgais heibio a gafael yn ei fraich.

"Ger?"

Arhosodd yn llonydd ar hanner cam gan syllu i fyw fy llygaid.

"Beti?"

Ar ôl dŵad dros y sioc o 'ngweld i'n sefyll yno wrth fynedfa Pabell y Cymdeithasau, gafaelodd Ger amdanaf yn dynn cyn fy mhledu hefo cwestiynau.

"Be wyt ti'n neud yn fa'ma? Wyt ti'n aros yn Steddfod? Hefo pwy ti yma? Ydi Mam yma?"

Y cwbwl fedrwn i neud oedd nodio ac ysgwyd fy mhen bob yn ail gan fod Ger wedi gofyn tua dwsin o gwestiynau eraill cyn i mi gael amser i ateb y cynta.

Wrth gerdded ar draws y Maes, cefais gyfle i ateb rhai o'i gwestiynau a dweud wrtho ein bod ni wedi gadael Lerpwl a'n bod ni bellach yn aros yng Nghae'r Delyn tan y bydda 'na dŷ ar gael yn yr ardal.

"Ia, roedd Mam wedi sgwennu ata i i ddeud eich bod chi'n dŵad adra. Hen bryd hefyd, dduda i. Sut ma

Dad yn teimlo am aros yng Nghae'r Delyn? Mae'n siŵr ei fod o'n colli Lerpwl!"

Brathais fy ngwefus wrth glywed y sbeit yn llais Ger. Roedd 'na gymaint nad oedd o'n ei ddallt. Sut roeddwn i'n mynd i ddechra esbonio be oedd Mam wedi'i neud? Ella mai tewi fydda ora ond eto doeddwn i ddim yn fodlon i Ger feio Dad am bob dim chwaith.

Ar ôl cyrraedd cornel eitha tawel o'r Maes ac eistedd ar y glaswellt, taniodd Ger sigarét.

"Ti'n dal i smocio 'lly."

"Yndw, gwaetha'r modd. Paid ti byth â dechra os wyt ti'n gall."

"Sut rwyt ti'n gwybod nad ydw i'n smocio'n barod? Dwi yn bymthag oed, cofia!"

"Ti ddim? Smocio dwi'n feddwl, achos dwi'n gwybod dy fod ti'n bymthag."

"Na, herian ydw i. Tydw i ddim yn smocio go iawn, 'sti, er 'mod i wedi cael un neu ddwy gan Nicola fy ffrind yn Lerpwl."

Be oedd yn bod arna i'n gwamalu fel hyn? Doeddwn i ddim wedi gweld Ger ers blynyddoedd. A rŵan pan oedd o yma o 'mlaen i, dyma fi'n malu awyr am ryw sigaréts heb ddim rheswm.

"Diolch i ti am y cardia pen-blwydd a'r llyfra," meddwn i o'r diwedd.

Goleuodd ei wyneb. "Croeso, siŵr. 'Nest ti eu mwynhau nhw? Do'n i ddim yn siŵr dyliwn i fod yn gyrru stwff mwy aeddfed i ti yn ddiweddar 'ma ac os oeddat ti'n mynd braidd yn hen i ddarllen llyfra plant.

Mi fuo bron iawn i mi yrru *Cysgod y Cryman* i ti achos mae hwnnw'n boblogaidd iawn ac yn cael ei astudio ar gyfar arholiada'n reit amal. Ond wedyn, mi gofiais bod llyfra Islwyn Ffowc Elis i gyd gan Mam ac mae'n siŵr y basat ti wedi'u darllen nhw'n barod."

Fedrwn i ddim dal dim mwy. Dechreuais feichio crio. Roedd 'na gymaint nad oedd Ger yn ei ddallt.

"Be sy? Pam ti'n crio?"

Yna daeth y cwbwl allan. Fedrwn i ddim celu dim. Roedd yn rhaid iddo fo gael gwybod pob dim.

Ar ôl i mi orffen, gafaelodd Ger yn fy mraich a'i gwasgu'n dynn. "Mi fydd Mam a Dad yn iawn, gei di weld. Rydach chi'n ôl adra rŵan. Dyna sy'n bwysig. Mi gewch chi gyfla i anghofio'r hen amseroedd anodd 'na ac mi gei ditha gyfla i ailddarganfod dy hun fel Cymraes. Mae hi'n amsar mor gyffrous yng Nghymru 'ma, 'sti. Ma 'na gymaint i'w wneud os ydan ni am oroesi fel cenedl. Dyma ein cyfla ola ni. Mae'n rhaid i ni i gyd gymryd cyfrifoldab a mynnu ein hawlia neu mi fydd hi ar ben arnan ni fel cenedl. Cenedl heb iaith, cenedl heb galon!"

"Mi fuo Carys a finna draw i stondin Cymdeithas yr Iaith pnawn 'ma. Mi 'nes i brynu'r stamp 'ma yna. Yli," meddwn i gan dynnu'r stamp o fy mhoced.

"Wel, ma hynna'n ddechra," medda Ger gan wenu. "Ond wyt ti a dy ffrind wedi ystyried ymuno efo'r Gymdeithas? Mae 'na lwythi o rai 'run oed â chi wedi gneud hynny wythnos yma. Mi fasa'n ffordd dda i ti ddŵad i nabod pobol a gwneud dy bwt dros yr iaith 'run pryd."

"Ia, pam lai," meddwn i. "Dwi'n eitha siŵr y gwneith Carys ymuno hefyd os medrith hi gael llofnod Dafydd Iwan."

Wedyn, mi edrychodd Ger ar ei wats a deud bod yn rhaid iddo fynd i ryw gyfarfod neu'i gilydd. Ond doedd dim ots, achos ar ôl i mi addo y baswn i'n ymuno â Chymdeithas yr Iaith, addawodd ynta y basa fo'n dŵad i Gae'r Delyn i weld Mam a Dad ar ôl y Steddfod hefyd.

"Do'n i'm yn gwybod dy fod ti'n chwaer i Geraint Huws," medda Carys ar ôl i mi ddŵad o hyd iddi wrth y fan ac ymddiheuro am ei gadael ar ei phen ei hun mor hir.

"Be? Ti'n gwybod am Ger?"

"Ro'n i'n gwybod ei fod o'n arfer byw yng Nghae'r Delyn cyn i ni symud i'r ardal. Ond do'n i ddim wedi sylweddoli ei fod o'n frawd i ti. Pam na fasat ti wedi deud?"

"'Nes i ddim meddwl y basat ti'n gwybod pwy oedd o."

"Wel, yndw siŵr. Ma pawb yn gwybod pwy ydi o. Ma 'i lun o yn y papura ac mae o ar y newyddion o hyd am ei fod o'n ymgyrchu gymaint dros yr iaith. Os dwi'n cofio'n iawn, mae o'n aros rŵan am achos llys ac mae 'na beryg y bydd hi'n o ddrwg arno fo tro 'ma, meddan nhw."

Ger o flaen y llys? O na! Be fyddai ymateb Mam a Dad i hyn? Be ddylwn i ddeud wrthyn nhw?

Ond doedd dim rhaid i mi egluro. Roedd Mam wedi dilyn gyrfa Ger drwy golofnau'r *Cymro* a'r *Herald* tra oeddan ni yn Lerpwl ac roedd hi'n hen gyfarwydd â'i weithredoedd dros yr iaith. Roedd Dad hefyd wedi cael cyfle i dderbyn y peth ar ôl iddo fo a Mam gael amser i gymodi ar ôl helynt y llythyra. Felly, pan ddaeth Ger draw i aros i Gae'r Delyn am 'chydig ddyddia ar ôl y Steddfod, cafodd ein teulu ni gyfle i fod yn gytûn unwaith eto.

Wythnos yn ddiweddarach, dedfrydwyd Ger i gyfnod o ddeg mis yng ngharchar Walton, Lerpwl.